D1301886

Le chasseur Zéro

Pascale Roze

Le chasseur Zéro

ROMAN

Albin Michel

Toute ressemblance ou homonymie avec des personnes
existantes ou ayant existé serait fortuite et involontaire.

ISBN : 2-226-08708-7

A ma fille Axelle.

DÈS le matin, avant même que le soleil se lève, le chasseur se met en route. Tout habillé de noir, sa charge mortelle arrimée au ventre, il démarre. Le moteur vrombit dans le silence de l'aube. L'hélice tourne. L'avion s'ébranle, feux éteints, roule sur la piste, lève le nez, commence son ascension. D'une poussée régulière, il monte jusqu'à cinq mille mètres, se stabilise. Le jour est levé. De la mer et du ciel, des quatre bords de l'horizon, le chasseur est en vue. Je m'appelle Laura Carlson. Je suis née le 10 janvier 1944 à New York. Mon père est mort le 7 avril 1945 à Okinawa.

Je ne possède que deux photos de lui. Sur l'une, on le voit debout au garde-à-vous à côté de ses hommes, sur le pont du *Maryland*. Son visage est figé, impassible, tendu dans l'obéissance, comme déjà parti vers la mort. Sur l'autre, il tient maman par la taille à Central Park. Il y a du soleil, il sourit. Maman aussi sourit. Je ne sais rien de l'Amérique. Quand maman est rentrée en France, je n'avais pas encore deux ans. Elle est allée frapper à la porte du grand appartement de la rue de la Bienfaisance, celui de son enfance, celui qu'elle avait voulu oublier. Les parents accueillirent la fille prodigue et avec elle la moitié d'inconnue que j'étais et qui leur roula dans les bras. Sans doute posèrent-ils quelques questions. Ma mère se refusa. C'est de l'orgueil, disait encore grand-mère bien des années après.

Mon enfance fut sinistre. L'appartement était sinistre, mes grands-parents étaient sinistres et maman s'enfonça dans un silence sinistre. Au début, elle essaya de travailler. Sur une idée de grand-mère, elle se fit embaucher comme professeur d'anglais dans le collège où elle-même avait fait ses études. Elle peinait à lutter contre la neurasthénie. Elle aurait pu voir un médecin. Personne n'y pensa. Un jour, elle n'eut plus le courage de préparer ses cours, d'affronter le regard compatissant de ses collègues. Grand-mère alla s'expliquer avec la directrice. On lui retira le fardeau du travail et, désormais, maman employa ses longues journées désertes à faire des patiences, des patiences toute la journée. Mes grands-parents prirent mon éducation en main et s'occupèrent de leur fille un peu comme on ferait d'une enfant attardée.

Quelquefois maman sortait. Nous dînions sans elle. Grand-mère nous ordonnait de faire vite, finissait par me donner à manger bien que j'eusse déjà quatre ans. La cuillère cognait mes dents. La soupe brûlait ma langue. Quand maman rentrait, j'étais déjà couchée. A travers les murs, j'entendais la colère étouffée de grand-mère. Maman se heurtait aux meubles et aux portes en poussant des gémissements qui m'effrayaient. Je tendais anxieusement l'oreille. « Si tu recommences, je t'enfermerai à clé », sifflait grand-mère. Peut-être mit-elle sa menace à exécution car pendant près de dix ans maman ne sortit plus.

Papa est mort à la guerre. Pendant longtemps, c'est tout ce que j'ai su. Quand je posais des questions, on me grondait. Ça faisait mal à maman. Je ne voulais pas faire mal à maman. J'avais le droit d'aller dans sa chambre. Je restais sans bouger à la regarder retourner ses cartes. Parfois elle s'arrêtait. Elle triturait mes tresses, enfin mes queues de rat, je n'ai jamais eu beaucoup de cheveux, au désespoir de grand-mère. Sa petite main nerveuse me tourmentait un peu mais je retenais mon souffle. Elle aurait pu tirer que je n'aurais rien dit. Si je posais ma main sur la sienne, elle sursautait. Jamais elle ne me serrait dans ses bras. Maman ne serrait rien, ne pesait nulle part.

Tous les jours, vers quatre heures, elle buvait un tilleul. Le long du grand couloir sombre, je m'appliquais à lui porter sa tasse qui tremblait dans mes mains. Je l'appelais doucement à travers la porte. Elle venait ouvrir sans bruit. Elle se penchait vers moi, ses cheveux lui tombaient devant les yeux. Elle m'asseyait sur le lit et me mettait dans la bouche un morceau de sucre imbibé de tilleul. Un peu d'eau sirupeuse me coulait sur le menton et avec application, méthodiquement, elle la repoussait de ses doigts dans ma bouche. J'étais comme tétanisée, pétrifiée de plaisir. Je faisais exprès de baver. On aurait dit que tout mon être s'était concentré dans mes lèvres que touchaient ses doigts. A six ans, je me trouvais sur les bancs de l'école à l'heure de la tisane et le plaisir disparut. Bien des fois j'ai souhaité que Bruno me nourrisse ainsi, sans l'intermédiaire de la cuillère. Je n'ai jamais osé le lui demander.

C'est grand-mère qui me lavait, qui m'habillait, qui me frisait les cheveux au fer, qui m'exhibait au marché ou à la paroisse où elle était dame patronnesse. Moi, je me taisais, je faisais tout ce qu'elle voulait. Elle était grande et forte, les épaules larges, les seins volumineux, les lèvres épaisses. Avec ses cheveux permanentés, elle dépassait grand-père. Tous, nous disparaissions sous elle. Bien qu'elle fût une dame respectable du quartier et que chacun la saluât très bas, j'avais confusément la sensation d'un trop de force qui se dégageait d'elle, spécialement lorsque je regardais ses grands pieds déformés par les chaussures pointues. Grand-mère était une femme mutilée, une femme sans douceur, sans faiblesse, qui arborait fièrement ses chaussures déformantes et nous menait tous à la baguette. C'est d'elle que je tiens ma force.

Jusqu'à ce que j'aille à l'école, je me rendais deux fois par semaine à la messe, le dimanche et le vendredi. Le dimanche, nous arrivions en avance. Grand-mère supervisait l'ordonnance des bouquets. Je sentais grossir derrière moi le brouhaha des chaises. Soudain l'orgue explosait, tout mon dos frissonnait. La nef s'illuminait et la procession des prêtres remontait avec solennité l'allée centrale, précédée de grands coups d'encensoir. C'était violent. Cela se reproduisait chaque dimanche, exactement de la même façon, et c'était d'autant plus violent. Le ciel semblait s'ouvrir. C'était presque déjà le bruit du chasseur. Sur un des piliers, il y avait un grand christ en bois peint, le visage penché vers nous. Il me semblait qu'il dormait, qu'il attendait patiemment que tout cela finisse. Il me faisait penser à maman.

Le vendredi, les statues tremblotaient à la lueur des cierges. Nous étions peu nombreux, les vrais chrétiens, hormis moi uniquement des vieilles dames. Les voix chuchotaient, rapides, étouffées, comme honteuses de se faire entendre. Agenouillée sur mon prie-Dieu, j'égrenais un chapelet pour maman. Je pensais que si je priais assez, elle guérirait. Grand-mère m'avait appris le donnant-donnant. Si tu es sage, je te lirai *La Chèvre de monsieur Seguin*. J'étais toujours sage. Mes seules bêtises venaient de ma maladresse. Je faisais tout tomber, les savons, les assiettes, les morceaux de viande. Je rentrais de l'église, convaincue que maman allait m'attendre à la porte, fraîche et souriante ; elle me prendrait par la main pour m'emmener vivre au loin, seule avec elle dans un endroit de lumière.

Mais je ne devais pas assez bien prier car elle manqua toujours au rendez-vous. Tandis que là-bas, dans la fraîcheur du petit matin, le chasseur, lui, se préparait déjà.

L'appartement m'apparaissait immense. Sauf la cuisine, tout y était obscur. Il y avait un grand salon, une grande salle à manger, et quatre chambres dont l'une servait de bureau à grand-père. Mais il y avait surtout le long couloir sombre. Jusqu'à la fin, jusqu'au jour où je le fis franchir à ses nouveaux propriétaires, je l'ai toujours redouté. Petite, c'était comme m'engager dans un tunnel, me jeter dans le noir. Je n'atteignais ni les poignées ni le commutateur. Je me collais à un mur, j'avançais à tâtons. Quand j'arrivais au tournant, un peu de lumière filtrait sous la porte de la cuisine et j'étais sauvée. Ma chambre avait des meubles d'adulte, un dessus-de-lit et des gros rideaux en velours violet, éternel carême. La seule tache claire y était la descente de lit. Je ne sais pas pourquoi, toutes les armoires étaient fermées à clé. Grand-mère en portait le trousseau sur elle, à sa ceinture. Elle cliquetait à chaque pas.

Un jour, elle m'enferma dans le cagibi parce que j'avais cassé un vase en cristal. Je restai dans le noir parmi les balais et la cireuse. Je pensai à Hänsel et Gretel, aux petits enfants de saint Nicolas dans leur saloir. La peur se fit telle que je me mis à hurler. Il n'y avait jamais de bruit dans l'appartement de la rue de la Bienfaisance. Crier me soulagea. Grand-mère tapait de l'autre côté de la porte. Veux-tu te taire ? Crier me tenait compagnie. J'écoutais ma voix. Je la découvrais, surprise de sa puissance. Au fur et à mesure que je criais, je sentais monter quelque chose de chaud et d'énergique, un bien-être nouveau, un plaisir violent qui me coulait de la bouche. C'était ma haine sans doute pour cette femme féroce qui n'ouvrait toujours pas. Nous luttions, nous nous affrontions au travers d'une porte fermée, tendues vers la victoire, vers l'écrasement de l'autre. Je n'avais pas l'habitude du combat, mes forces me trahirent. Je me cassai la voix. Je tombai d'épuisement. Quand elle n'entendit plus rien, grand-mère ouvrit la porte. J'étais par terre. Je refusai de bouger. Elle me traîna dans ma chambre et je me couchai sans dîner. Je n'ai jamais plus crié.

Grand-mère me lisait des contes, beaucoup de contes. Cela se passait dans le salon. Elle sortait religieusement d'une armoire fermée à clé de grands livres rouges aux tranches dorées qu'elle avait donnés à maman autrefois. Je n'avais pas le droit d'y toucher. Elle s'asseyait dans un fauteuil de velours brun, et moi j'avais ma petite chaise, celle de maman quand elle était petite. Plus que tous les autres, j'aimais deux contes : *Les Fées* et *La Chèvre de monsieur Seguin*. Je les réclamais. J'aurais voulu les entendre tous les jours. A mon désappointement, grand-mère était contre. Pourquoi toujours les mêmes ? Nous n'avons pas encore commencé les *Contes du lundi*. Elle avait l'esprit méthodique et entendait que je l'aie. Cracher des perles ou des crapauds en parlant, cela me troublait, me faisait envie. Quand l'image venait, j'avais la

sensation d'avoir la bouche pleine. Je comprenais confusément que parler, c'est montrer
ce qu'on a dans le ventre. J'étais trop timorée
pour le faire et mes rares questions étaient
renvoyées au silence ou à Jésus. Cette peur
eut la conséquence fâcheuse de me laisser
croire très longtemps que, dans le ventre,
j'avais des kilos de perles. Lorsque j'y découvris les crapauds, ils étaient devenus des
monstres. Quant à la chèvre de monsieur
Seguin, c'était bien évidemment maman.
Chaque fois que monsieur Seguin criait
« Reviens, reviens » avec sa petite trompe, je
pleurais. Le soir, je me couchais sur ma descente de lit et j'y frottais ma joue indéfini-
ment. Dans ma tête gambadait la chèvre
blanche au milieu des lambrusques, mot dont
j'ignorais le sens mais qui m'émerveillait au
point que chaque fois que je le prononce, je
vois encore une petite tache de soleil.

Grand-mère, elle, était une mangeuse
d'enfant. Elle avait une prédilection pour *Le
Petit Chaperon rouge*. Tu vois, il ne faut pas
parler aux inconnus (reproche majeur à ma

mère). Je la regardais lire, fascinée par le mouvement de sa bouche. Était-ce parce qu'elle avait de grosses lèvres, on aurait dit qu'elle mangeait les mots. Ce n'étaient ni des perles ni des crapauds, mais une pâte sonore produite par une infatigable mécanique, un trou noir qui s'ouvrait et se refermait à deux doigts de mon visage. C'était la gueule du loup déglutissant une mystérieuse menace. La nuit, j'imaginais grand-mère rôdant dans l'appartement en clopinant sur ses affreux pieds, les lèvres démesurément tendues vers l'avant. J'avais peur. Je voulais appeler maman. Je n'osais pas. Maman aussi me faisait peur, mais elle, c'était autrement, c'était son silence, son visage vide.

Une fois par mois, grand-mère recevait à dîner ses amis prêtres et quelques paroissiens. Quand elle quittait la cuisine où elle avait passé la journée, elle ôtait son tablier et frappait à la porte de maman. « Il est cinq heures, Bénédicte, veux-tu que je fasse ton chignon ? » Elle entrait sans attendre la réponse, saisissait les cheveux de maman et les crêpait jusqu'à ce qu'ils tiennent tout seuls, dressés vers le plafond. Alors elle les ramenait sur le crâne, piquait des épingles, laquait abondamment. J'assistais de la porte à l'enlaidissement de ma mère. Ni l'une ni l'autre nous ne disions mot.

J'avais la permission de rester pour l'apéritif. Grand-mère trônait, tous les prêtres à ses genoux. Elle lançait des phrases à la cantonade sur un timbre aigu, pointu comme les dents d'une fourchette. Sa vraie voix s'échappait dans l'excitation de recevoir. Maman sirotait un jus de fruit, elle n'avait pas droit au madère. Des dames lui parlaient obligeamment de moi, de ma gentillesse. Elle hochait la tête, les yeux dans le vague. A neuf heures, heure décidée d'avance, la concierge entrait avec un tablier de dentelle blanche et annonçait : « Madame est servie », donnant pour moi le signal du lit. De ma chambre, j'entendais le brouhaha de la salle à manger où perçait la voix de grand-mère. C'étaient les seuls jours qui sortaient de l'ordinaire. Encore étaient-ils réglés comme du papier à musique.

21

Un rêve me revenait souvent ces nuits-là. Je glissais mes mains dans les cheveux de maman pour défaire son chignon. Les épingles tombaient, rebondissaient sur le parquet. J'entendais distinctement leur petit bruit. Plus je caressais, plus il en tombait. Elles semblaient se multiplier sous mes doigts. Jamais je ne parvenais à défaire le chignon. Au contraire, une broussaille de piques finissait par remplacer la chevelure. Maman tournait alors son visage vers moi, penchait un peu sa tête ainsi couronnée et me regardait d'un air interrogatif. Jusque dans mes rêves, je ne savais pas aimer ma mère.

Un jour que grand-mère me lisait un conte, elle s'était approchée de nous sans faire de bruit. Je fus si surprise de la voir que je me levai d'un seul élan et me jetai sur elle. Elle étouffa un cri. Je lui avais fait mal. Grand-mère me rabroua et me commanda de me rasseoir. Plus tard, j'appris à l'école la fable de La Fontaine *L'Ane et le Petit Chien.* Pendant que je la récitais, le souvenir de cette

22

scène me submergea. L'âne, c'était moi. Mes caresses étaient des coups.

Là-bas, la mer plate, métallique, le ciel entièrement dégagé, le soleil net, comme découpé au ciseau, à peine encore au-dessus de l'horizon. L'aube des temps, l'éclat de la Création. Et dans la lumière virginale, la petite masse compacte du chasseur qui avance, qui avance.

Grand-père avait trois passions, les mathématiques, l'astronomie et la pêche à la morue sur les bancs de Terre-Neuve. Si bien que, pour des raisons différentes de celles de maman, il restait lui aussi presque tous les jours enfermé dans son bureau, le nez plongé dans des ouvrages savants. Sa santé était délicate parce qu'il avait été gazé pendant la guerre de 14. Chaque matin, il crachait dans son lavabo. Je n'ai pas le souvenir d'avoir joué avec lui. Je savais à peine parler qu'il m'apprenait à compter. A table, il m'imposait des épreuves ardues de calcul mental auxquelles je devais répondre à brûle-pourpoint. C'étaient nos seuls échanges. J'étais heureusement assez douée. Quand j'avais été particulièrement brillante, il m'appelait son petit rat. Bien des années plus tard, sur son lit d'hôpital, il m'a de nouveau appelée son petit rat. J'ai suffoqué. Devant cet homme dont je savais si peu, une pensée désespérée me battait aux tempes : pourquoi ne m'a-t-il jamais raconté la guerre de 14, les tranchées, la boue, le froid, la faim, les cadavres puants, les gaz ? Pourquoi ne sais-je rien de tout cela ? Incapable de prendre sa main, j'ai murmuré à travers mes larmes sept mille huit cent quatre-vingt-quinze plus neuf mille deux cent dix-sept. Il ne pouvait déjà plus répondre. Dans les affaires que l'hôpital m'a rendues, j'ai trouvé son pull-over en cachemire gris, taché de sang. Je l'ai lavé. Les taches sont restées et je l'ai porté comme ça, jusqu'à ce que les manches soient complètement élimées. Pourtant grand-père ne parlait pas toujours par chiffres.

L'été nous allions en vacances à Fécamp. J'attendais le jour du départ dans la plus grande impatience. J'aimais Fécamp. La pensée de Fécamp m'aidait à supporter l'année. Grand-père chargeait la grosse Citroën 15 sous les ordres de grand-mère. Je montais à l'arrière avec maman, les pieds sur les paquets, le panier du pique-nique sur les genoux. Nous nous arrêtions à Rouen où grand-mère achetait deux assiettes pour mon trousseau. Puis la voiture filait à travers la campagne vers la mer, croulant sous les bagages entassés sur le toit. Grand-père était abonné à *L'Écho fécampois* et, par conséquent, connaissait l'horaire des marées. Il pronostiquait la hauteur des eaux en fonction de la durée du trajet. Je vous l'avais bien dit, triomphait-il en arrivant, et cette joie lui donnait l'énergie nécessaire aux dures épreuves du déchargement et de l'installation. A Fécamp, on aurait dit que nous étions prêts pour une autre vie.

Mes grands-parents louaient chaque année la même maison de briques rouges, plantée au tout début du sentier des Douaniers qui montait vers la falaise. Une véranda, comme une cage de verre collée sur le devant, en adoucissait l'aspect austère. De ses vitres, on ne voyait que la mer et le ciel où tournoyaient les mouettes. Derrière se dissimulait un petit jardin. Maman et moi, nous dormions à l'étage, nos deux chambres se faisant face. J'avais obtenu que nous laissions nos portes entrouvertes. De mon lit, je restais les yeux fixés sur l'entrebâillement. Il me semblait qu'ainsi mon cœur volait jusqu'à elle. Je murmurais son nom, je l'endormais, je veillais sur son sommeil. On pourrait croire que j'aimais ma mère. Même de cela, je suis venue à douter. J'avais tout juste l'envie d'être caressée.

Et puis, surtout, maman était différente à Fécamp. Nous passions de grands après-midi sur la plage ou au pied de la falaise quand la marée le permettait. Elle me disait : « Va, va te baigner. » Et je courais jusqu'à la mer, me tordant les pieds sur les galets, et je me jetais dans l'eau froide, éblouie de soleil, le corps enfin léger, le cœur enivré de reconnaissance pour elle, ma mère, qui m'avait adressé la parole. Nous flânions dans le port en lisant le nom des bateaux. Nous allions jusqu'au phare, en plein vent. Maman aimait le vent. Elle restait debout à le laisser soulever ses jupes et décoiffer ses cheveux, le regard fixé sur le large, malgré les embruns qui nous volaient dans les yeux. Quelque chose nous happait dans cet horizon vide que nous scrutions comme si nous nous attendions à y voir apparaître un signe.

Tous les jours, grand-père allait à la capitainerie du port s'entretenir avec de vieux terre-neuvas qui avaient travaillé sur les bancs du temps de la marine à voile. J'aimais l'accompagner. Ces marins qui n'avaient plus d'autre ennemi que l'ennui et l'arthrose ressuscitaient pour lui une vie remplie d'épouvante, d'effroyables tempêtes, de pieds gelés, de blessures rongées par le sel, d'inhumaines punitions, de soupes infectes et de scorbut. C'est ainsi que grand-père rêvait. Puis, muni de son carnet, il se rendait auprès du capitaine, s'informait de la position des bateaux, là-bas, sur les bancs de Terre-Neuve, du temps qu'il faisait, du tonnage de la pêche, écoutait religieusement les communications radio, et s'abîmait en contemplation devant les cartes fichées d'épingles. A la maison, il s'en prenait au thermomètre et au baromètre dont il nous communiquait les relevés à table.

Deux jours avant le 15 août, il installait sur le balcon de maman une belle lunette en cuivre, apportée de Paris. Quand la nuit était tout à fait noire, nous montions à sa suite maman et moi. Grand-mère allait se coucher, prétextant que, depuis quarante ans, elle connaissait le ciel par cœur. Il nous montrait les anneaux de Saturne, les mers de la Lune, Orion, le Grand Nuage de Magellan, Cassiopée. Il fallait coller son œil à la lunette sans la faire bouger, le réglage étant très délicat. Tu vois bien, tu vois bien, répétait-il, inquiet de ce que nous ne perdions rien des merveilles qu'il nous révélait. Ensuite, nous gardions le nez en l'air, à celui qui verrait le premier une étoile filante. Et c'était toujours maman qui les voyait. L'émerveillement devant le monde, je le tiens de ces nuits-là, sur le balcon de Fécamp.

Quand nous avions bien vu, nous descendions doucement à la cuisine. Grand-père nous servait un verre de madère et sortait sa bouteille de vieux rhum. Lui si taciturne, on ne pouvait plus l'arrêter. Il nous réexpliquait le ciel depuis la théorie du big bang jusqu'au mouvement des astres. Il soupirait, se resservait un verre, et disait qu'il aurait voulu être marin, faire le point avec un sextant, naviguer en suivant l'étoile Polaire, connaître la mer de Chine et le ciel d'Australie et même les redoutables bancs de Terre-Neuve. Il regardait maman et laissait tomber dans un soupir : « Comme ton mari... » Ma tête tournait à cause du madère. Maman fermait les yeux. Rien. On ne disait rien de plus. Il rangeait les bouteilles. Nous montions nous coucher et le silence retombait comme une chape.

Il arrivait qu'il y eût de grosses tempêtes.
Pas un nuage au ciel, pas un oiseau, juste le
vent déchaîné, libre, furieux, qui soulevait la
mer de son souffle, l'envoyait gicler sur la
digue, drossait les galets que nous retrouvions
sur la route, fouettait les maisons, échevelait
les arbres. Je posais mes mains à plat sur la
véranda et je sentais le vent qui poussait les
vitres comme s'il voulait entrer en force chez
nous. Grand-mère finissait par s'enfermer
dans sa chambre. Le vent lui fatiguait le cœur.
Grand-père était debout derrière moi dans la
véranda, si maigre, si fragile, qu'on aurait pu
craindre que le bruit le renverse. Quant à
maman, je savais où elle était et, dès que
grand-mère s'était enfermée, je montais la
rejoindre. Nous nous agrippions au balcon,
les rafales s'acharnaient sur nous. C'était dif-
ficile de garder les yeux ouverts. Au soir, notre
peau était brûlante, nos yeux rougeoyants et
nous étions comme ivres. Mais jamais les
draps n'étaient si doux sur mes joues, et je
m'endormais dans une délicieuse volupté, en
caressant l'idée de tuer grand-mère.

Je n'ai pas tué grand-mère. Je suis lâche.
C'est sans remède. Quelque temps avant que
nous quittions l'appartement, je fis une piètre
tentative. La grande dame patronnesse n'était
plus qu'une vieille ratatinée, paralysée par les
rhumatismes. Assise à la table de sa cuisine,
une serviette autour du cou, elle agitait mala-
droitement sa cuillère. Un peu de Ricoré collait au métal. On aurait dit un monstrueux
bébé. Grand-père, debout à côté d'elle, fla-
geolant sur ses jambes, tenait à la main une
casserole de lait fumant qu'il s'apprêtait à
verser dans son bol. Sa main tremblait dan-
gereusement, c'était trop lourd pour lui. Je
voyais bien qu'il n'arriverait pas à viser et que
grand-mère allait recevoir le lait bouillant sur
ses genoux. Il fallait aider mais je ne bougeais
pas. Je ne quittais pas la casserole des yeux,
hypnotisée par la catastrophe à venir. J'en
avais envie. Je voyais déjà la robe mouillée,
la peau rouge et tuméfiée de la cuisse. Ils
avaient besoin de moi, de ma jeunesse. J'allais

le leur faire sentir de façon cuisante. Grand-père me regarda, puis il versa. Pas une goutte ne tomba à l'extérieur. Il me regarda à nouveau et dit : « C'est moche de vieillir. » (Du temps de sa splendeur, grand-mère l'aurait repris : « On ne dit pas c'est moche, on dit c'est laid. ») J'eus la certitude que rien de ma pensée ne lui avait échappé. Rouge de honte, étouffante, je sortis courir dans la rue. Il pleuvait. Je me tordis la cheville dans un caniveau. Une eau boueuse me gicla sur les jambes et s'écrasa en étoile au bas de mon manteau.

Les vacances s'achevaient. Il fallait fermer la maison, regarder pour la dernière fois le ciel où tournoyaient les mouettes. Dans la voiture déjà, l'air se faisait lourd. Je me recroquevillais sur mon siège, comme pour me protéger du long hiver qui m'attendait. Désormais, il me faudrait partager ma vie entre l'appartement et l'école. Aucun salut ne m'était venu de cette institution publique. Toutes les semaines, la maîtresse remplissait d'encre violette le petit encrier de faïence à droite en haut du pupitre. Cette encre était ma terreur. J'étais incapable de tremper mon porte-plume sans faire des taches, sur mon cahier, sur mes doigts, sur le bureau. J'écrivais mal. La plume grinçait et s'accrochait au papier du cahier. Les lettres se refusaient à moi. Grand-mère se désespérait et m'imposait le soir des lignes de *a* et de *b*. Puis, armée d'une pierre ponce, elle frottait mes doigts violets jusqu'au sang. Le pire, c'était le calcul. Les maîtresses s'amusaient à m'interroger. Je devais me lever, le cœur battant jusque dans les oreilles, et assumer devant toute la classe mon statut d'enfant prodige. Malgré mon émoi, les chiffres restaient bien en ordre dans ma tête et les maîtresses se lassaient les premières. J'étais timide, trop honteuse de ma maladresse, trop confuse de moi-même pour aller vers les autres. Je restais seule à attendre je ne sais quoi, je ne sais qui. Personne ne venait. J'étais dans la nuit de l'enfance, une nuit tachée d'encre et noyée de silence. Il me semblait qu'elle devait durer toujours.

33

Vers l'âge de douze ans, j'ai eu mal aux oreilles. Otites externes à répétition. Ce n'était pas très grave, uniquement douloureux, mais grand-mère m'obligeait à garder la chambre. C'est là, dans la solitude de ces longues journées, que j'ai commencé à entendre des bruits. Souvent, un léger ronronnement vibrait autour de moi. Je cherchais une mouche ou je demandais si on ne faisait pas des travaux à l'étage au-dessus. Je compris rapidement que ce ronronnement, personne d'autre que moi ne l'entendait. Sans doute un effet de mes otites. Seulement, lorsque je fus guérie, le ronronnement persista. Je ne m'affolai pas. Je pensai à Mme Dufresne qui tenait le vestiaire de la paroisse. Chaque fois que nous allions lui porter mes vêtements trop courts, elle soupirait : « Doux Jésus, ma tête bourdonne comme une marmite. Ça va mal finir. » « Elle se plaint toujours, disait grand-mère sur le chemin du retour. On n'a pas idée d'ennuyer le monde pour quelques bourdonnements d'oreilles. Tu verras qu'elle nous enterrera tous. » C'était simple : j'avais la même chose que Mme Dufresne. J'avais l'habitude de ne pas me sentir bien, ce ne serait qu'un désagrément supplémentaire. De plus, mon corps s'était transformé, et peut-être ce phénomène gênant était-il lié au gonflement de mes seins ou à cette blessure secrète qui saignait maintenant de l'intérieur de moi. J'étais au lycée, en classe de cinquième, j'avais grandi sans m'en rendre compte, ou sans le vouloir. Je me connaissais mal. Je me poussais moi-même de la main comme on écarte un embarras. Je savais que la vie est une succession d'expériences pénibles. J'en avais pris mon parti. Je réussissais même à la trouver supportable et je m'apprêtais à la supporter. Il m'arrive de penser que si Nathalie était restée au Maroc, je n'aurais souffert jusqu'à la fin de mes jours que de banals bourdonnements d'oreilles.

Grande et maigre, le dos très droit, elle entra dans la classe, nous jaugea du regard en plissant les paupières et s'arrêta sur moi. Qui es-tu ? semblèrent demander ses yeux. Je n'avais rien à répondre. Je m'agenouillai dans l'instant. Ses longues nattes blondes, son appareil dentaire qui lançait des éclats, l'assurance de son regard, tout m'éblouit. Elle arrivait de Casablanca où son père avait géré les affaires d'une société française. Ce fut brutal, immédiat, une radicale transformation. Je découvris que le monde ne se réduisait pas à la rue de la Bienfaisance. Ma vie placide chavira dans l'impatience. Le matin, je me levais dans la précipitation, dans l'urgence de la rejoindre. J'ouvrais la fenêtre de ma chambre, ma respiration était un appel à Nathalie. Je bondissais au-devant d'elle. J'oubliais grand-mère qui perdait de sa superbe, s'ankylosait dans ses rhumatismes, j'oubliais maman enfermée dans le saint des saints de sa chambre. Sur le chemin, je caressais les chiens, je découvrais les ciels d'automne, l'odeur des marronniers, la bonne fraîcheur du matin. J'étais heureuse. Je n'en revenais pas. Quand je la voyais qui m'attendait, toute droite au pied de son immeuble, je poussais un soupir de soulagement : elle était bien là, je n'avais pas rêvé.

Nathalie avait de quoi m'émerveiller. Elle était vive et gaie, elle pétillait de malice, j'étais maladroite et rébarbative. Elle parlait avec aplomb, nous épatait d'expressions arabes. Je bredouillais difficilement quelques mots. Quand j'essayais de réfléchir, je ne trouvais rien. Mon cerveau n'était qu'un trou noir submergé de temps en temps par l'émotion. Je ne saisissais que les chiffres. J'étais première en mathématiques, Nathalie en français. Elle avait une passion, la danse. Elle disait qu'elle serait danseuse. Hormis elle, je ne savais ni ce que j'aimais ni ce que je n'aimais pas. J'étais habitée par une inconnue. J'aurais voulu que ce soit elle qui m'habite.

Parce que je ne savais pas parler, j'étais condamnée au bonheur d'aimer en actes. Je faisais ses devoirs de mathématiques, je coiffais ses longs cheveux. Je suppliais grand-mère d'acheter les boîtes de lessive ou de café offrant en prime les porte-clés qui iraient grandir sa collection. Nathalie se laissait aimer. Elle se prêtait à ma passion qu'elle commentait de moqueries affectueuses et ces moqueries me réconfortaient, comme la preuve de son intérêt pour moi. Pourquoi n'abusait-elle pas de son pouvoir ? Ses ordres étaient trop sages. J'en aurais voulu d'extravagants. Pendant les cours, je contemplais son visage changeant comme un ciel d'avril. Cette mobilité, cette transparence me fascinaient. En la regardant, j'avais la sensation de ses pensées, de ses sentiments. Elle m'avait choisie, moi qui n'étais rien. La gratitude me bouleversait. Un soir, nos professeurs nous emmenèrent à la Comédie-Française voir *Cyrano de Bergerac*. Je m'identifiai immédiatement à Christian de Neuvillette, à la différence qu'ayant si peu de cheveux je n'avais sûrement pas l'avantage d'être belle. La classe fut enthousiasmée. Nous apprîmes la tirade des nez et Cyrano devint notre idole. Moi seule comprenais le malheur de Christian mais j'étais bien sûr incapable de défendre mon point de vue.

Grand-mère disait que j'étais dans une

mauvaise passe. Je rentrais le plus tard possible à la maison. Je lisais *Les Trois Mousquetaires* parce que Nathalie lisait *Les Trois Mousquetaires*. Je maigrissais pour lui ressembler. Ah, comme j'aurais voulu lui ressembler, m'oublier dans le vertige de lui ressembler. Ce fut elle qui ne voulut pas.

Elle entendait s'intéresser à ma vie. J'allais souvent chez elle où j'étais reçue à bras ouverts par sa mère et ses frères et sœurs. La fréquentation de cette famille où tout le monde parlait en même temps mettait douloureusement en évidence la tristesse de la mienne. Je me gardais bien d'introduire Nathalie rue de la Bienfaisance, arguant que ma mère était malade. Mais elle finit par juger que ce n'était pas une raison suffisante et, malgré mes réticences d'abord timides puis de plus en plus violentes et affolées devant sa détermination, elle m'imposa de lui ouvrir ma porte.

On ne me confiait pas la clé, je devais sonner. Je nous revois toutes deux dans l'obscurité du palier. A mesure que se rapprochait

le pas boiteux de grand-mère, je diminuais,
je disparaissais, je n'étais plus rien. J'allais être
écrasée aux yeux de Nathalie et je lui en voulais de m'imposer cette humiliation. C'est à
cet instant, sur ce palier, que je commençai
à souffrir de ces accès de transpiration qui me
fatiguent tant. Grand-mère ouvrit, demeura
interloquée tandis que je lui présentais en
balbutiant Nathalie, puis nous sourit, puis se
montra très contente et nous offrit à goûter
en posant mille questions à Nathalie qui
répondait en riant. J'étais ulcérée. « Emmène
donc ton amie saluer ta mère », roucoula
grand-mère en se tournant vers moi. Nathalie
se levait déjà comme s'il n'y avait rien eu de
plus urgent pour elle que d'être présentée à
maman. Je lui pris brutalement la main. La
colère me serrait la gorge. C'était la première
fois que je sentais de la colère. Elle explosa.

Les rideaux étaient tirés, le jour tamisé.
Maman, assise devant une patience abandonnée, n'eut aucune réaction lorsque j'ouvris la
porte. Elle fixait le mur.

— Maman, je te présente Nathalie, une amie de classe.

Elle daigna tourner les yeux. Un sourire idiot flottait sur son visage.

— Maman, tu ne veux pas lui parler ?

Je m'approchai d'elle, moi qui jamais ne la touchais, et la secouai comme un prunier.

— Parle-lui, maman !

Elle ne dit évidemment rien. Je me tournai vers Nathalie :

— Elle fait exprès.

Cette fois, j'étais sûre de la blesser. J'ouvris le tiroir de la table de nuit et tendis une photo à Nathalie, interdite. Je clamai :

— C'est mon père.

Maman se précipita, arracha la photo et la remit en place en fermant violemment le tiroir. Elle resta immobile, appuyée à la table de nuit, nous tournant le dos. On entendait sa respiration. Moi non plus je ne bougeais pas. Je sentais couler ma sueur. Nathalie sortit la première. La silhouette de grand-mère se profila au bout du couloir.

— Pourquoi ne m'as-tu jamais rien dit ?
murmura Nathalie.

Elle ramassa son cartable et sortit en
silence.

Je la déteste. Je les déteste tous. Je com-
prends que je suis méchante.

Personne n'a le droit de venir rue de la
Bienfaisance, à l'exception des prêtres qui
donnent leur aveugle bénédiction. Je protège
la rue de la Bienfaisance comme un chien
bien dressé. C'est plus fort que moi. C'est ma
famille. C'est inscrit au fer rouge dans ma
chair. Je n'y peux rien. Je m'enferme dans ma
chambre. L'air vibre d'un ronronnement
sourd. On dirait qu'il se cogne aux murs, au
plafond. On dirait un marteau piqueur. Cette
fois, j'ai peur. J'ouvre la fenêtre. Rien ne
change. L'air frais traverse mon chandail et
glace ma peau trempée de sueur. Et si
c'étaient tout de même des travaux à l'étage
au-dessus ? Pas la peine de demander à grand-
mère, elle m'enverra une fois de plus me laver
les oreilles. Je vais demander à grand-père. Je
le dérange dans ses sacro-saintes lectures.

Non, il n'y a pas de travaux, grand-père me prie de fermer la porte. Je retourne dans ma chambre. Les vibrations s'amplifient, me rentrent dans le corps. Je tremble de la tête aux pieds. J'ai peur, j'ai peur. Je ne vais pas réussir à me contrôler. Tout le monde va savoir que j'ai peur. Que j'ai peur pour de simples bourdonnements d'oreilles. C'est la faute de Nathalie. Grand-mère nous appelle pour le dîner, je ne trouve pas la force de me lever. Elle appelle plusieurs fois. Sa voix me parvient très affaiblie, derrière l'épaisseur des trépidations. Elle ouvre ma porte, je la vois à peine. Je tremble et je n'arrive pas à bouger mes yeux. C'est la première fois que je n'arrive pas à bouger mes yeux. Elle me demande ce que j'ai. Je ne peux pas répondre. Elle me fait prendre ma température et, rassurée, m'administre un fort calmant. La famille dîne sans moi. Je crois que je vais mourir. Je vois Nathalie s'éloigner en riant avec toute la classe. Je sombre dans le noir.

Le lendemain, je me tins éloignée d'elle. Je l'évitai. D'une certaine façon, nos rôles s'inversèrent. Ce fut elle qui me suivit en silence à la sortie des cours. Elle déposa sans rien dire des petits cadeaux marocains dans mon pupitre : porte-monnaie en cuir frappé d'or, bracelet de corail rose. Je n'avais pas l'habitude d'être aimée et me raidissais contre l'émotion. Une sorte d'instinct m'avertissait d'un danger. Hélas, Nathalie était maligne et têtue, trop forte pour moi. Elle vint me demander de l'aider à faire un devoir de mathématiques. Nous nous assîmes dans le préau. Je n'arrivais pas à lire. Sa présence physique me tétanisait. Elle attendit un peu et brusquement me serra dans ses bras à m'étouffer. Nous restâmes sans bouger, sans parler, le cœur nous battant dans les oreilles. Puis elle se leva d'un bond, soudain légère, soudain joyeuse. « Ne fais pas cette tête-là, s'exclama-t-elle, tu as l'air d'une grenouille ! » Et elle me regardait en plissant les paupières, comme au premier jour, avec seulement peut-être un peu plus d'insistance. Je tressaillis. « Pourquoi tu ne parles pas, grenouille ? » Je murmurai dans un souffle : « Que veux-tu que je te dise ? Elle voulait savoir la maladie de ma mère, et où était mon père. Elle voulait savoir tout ce que je tâchais d'oublier dans ses yeux. Elle ne voulait pas que j'oublie. Elle voulait que je me souvienne. Elle ne voulait pas que je me repose avec elle. Elle voulait que je souffre devant elle. Et moi, si je savais bien souffrir, je ne savais pas parler. Cela, elle ne pouvait pas le comprendre. Et parce qu'elle me regardait, et parce qu'elle m'appelait grenouille, et parce qu'elle m'éblouissait, je dis pour la première fois le rien, le rien que je savais, rien d'autre que le silence de ma mère et la mort de mon père. Mon père est mort à la guerre. C'était un officier de marine américain. Son bateau s'appelait le *Maryland*, si j'en crois la légende de la photo. La cloche des cours sonna. De toutes les façons, il n'y avait rien d'autre à dire.

Nathalie jugea inadmissible que je ne m'intéresse pas à mon père. Le soir, en me raccompagnant, elle me raconta que le sien aussi avait fait la guerre, qu'il avait débarqué à Fréjus pour libérer la France, que les soldats étaient des héros qui meurent pour les autres. Elle m'expliqua le débarquement américain et supposa que mon père était mort sur les plages de Normandie. Je l'écoutais, éberluée. Il était donc possible que j'eusse une histoire, une autre histoire que celle de la rue de la Bienfaisance ! Je souhaitais que mon père fût mort sur les plages de Normandie uniquement pour lui donner raison. « Demande à tes grands-parents, me disait-elle, ils savent sûrement. » Je n'avais pas envie de demander. Mais elle me pressait. Il fallait bien lui obéir, sinon nous allions passer notre temps à parler de moi, ce qui m'était infiniment désagréable. Il fallait en finir. Donc, je promis de questionner mes grands-parents.

Je mis plus de quinze jours à honorer ma promesse. Je passe sur tous ces soirs où, la gorge nouée, je finissais en pleurant des larmes de rage dans ma chambre parce que je n'avais pas réussi à poser la question pourtant si simple que je me répétais intérieurement à longueur de journées : où est-ce que papa est mort ? Un soir enfin, je saute le pas. On m'attendait dans la cuisine pour dîner. Grand-mère, son lot de pilules à côté de son assiette, trépignant contre mon retard, grand-père, la tête dans les mains, maman, une ombre comme d'habitude. Je m'assois en marmonnant une excuse, puis le silence tombe, massif, rythmé par les lapements de grand-père. Nous mangeons de la soupe. Je hais ces lapements, impudiques, voraces, appliqués, si sonores que je ne peux m'empêcher, par habitude, de les compter. Comment quelqu'un si maigre peut-il manger autant ? Il faut parler. J'ai chaud. Ma cuillère tremble dans ma main. Qu'il s'arrête, mon Dieu, faites qu'il s'arrête ! Dix fois je vais parler, dix fois un lapement m'arrête. Maintenant nous mangeons le dessert, un flan au caramel. J'étouffe sous le sucre, la gelée, la bouillie, le mensonge. Je retiens mes larmes. Je voudrais oser frapper un coup de poing violent sur la table pour que toutes les assiettes tressautent. Où est-ce que papa est mort ? Où est-ce que papa est mort ? La phrase danse dans ma tête. J'invoque le visage de Nathalie. Son appareil dentaire lance des éclats. Le dîner s'achève. Mes oreilles se mettent à bourdonner. Je fais la vaisselle, honteuse. Je racle les casseroles de toute ma rage impuissante. Je ne les lâcherai pas, non je ne les lâcherai pas. Je les suis dans le salon, moi qui d'habitude m'enferme dans ma chambre la dernière assiette rangée. Je leur parlerai avant qu'ils ne se couchent. Je les suivrai dans leur chambre s'il le faut. Grand-père allume le poste de T.S.F. Au travers de crachouillis dont je ne sais s'ils sortent du poste ou de mes oreilles malades, un journaliste questionne un général. Je capte le nom de Massu, celui d'Alger. A l'école primaire, il y avait sur les murs de la classe une carte intitulée « L'empire colonial français au début du XXᵉ siècle ». Je sais que l'Algérie est une colonie française. « Quel gâchis », soupire grand-père quand le communiqué est interrompu. Et son visage prend une expression de tristesse que je ne lui connais pas.

— C'est la guerre en Algérie ? demandé-je.

— Oui, répond grand-père avec lassitude, c'est la guerre.

Cette guerre providentielle m'offre une ouverture dans laquelle je saute comme on se jette à l'eau.

– Où est-ce que papa est mort ?

Trois visages se tournent vers moi et s'immobilisent. Personne ne répond. Je répète ma question d'une voix mal assurée, implorante. Je suis au supplice. Mes jambes tremblent. Enfin grand-père laisse tomber :

– A Okinawa.

J'ai peur d'avoir mal entendu à cause de mes oreilles, et aussi parce que je ne connais pas ce nom-là. J'ai peur de l'oublier, de le perdre, de devoir recommencer. Je répète, la gorge nouée :

– Okinawa ?

– Oui, c'est au Japon.

– Ma pauvre enfant, intervient grand-mère, ayant retrouvé ses esprits, ces histoires de guerre te tournent la tête. Ce n'est pas de ton âge.

J'avais eu très peur mais, à sa voix légèrement incertaine, je compris que je n'étais pas la seule. Je fuis dans ma chambre en bousculant maman au passage. J'écrivis le nom sur un bout de papier, tel que je l'avais entendu, ma première victoire. Et je m'endormis en rêvant aux yeux de Nathalie, qui ne manqueraient pas de briller d'excitation devant l'étrange nom d'Okinawa.

De ce jour, tout alla très vite dans ma connaissance des circonstances de la mort de mon père, dans la démolition de ma famille, dans l'amplification de mes bourdonnements d'oreilles.

Nathalie mena l'affaire de main de maître. Et le soir même du jour où je lui révélai le nom d'Okinawa, nous étions toutes les deux penchées sur un livre emprunté à la bibliothèque de ses parents : *La Seconde Guerre mondiale en images*. En deux pages et dix photos nous nous initiâmes à la guerre du Pacifique, de Pearl Harbor à Nagasaki. Les Philippines, Leyte, Saipan, Okinawa, Tokyo, une grande carte indiquait les lieux et dates des combats, noms encore mystérieux que je ne cesserais plus de traquer dans les livres. Ce qui nous frappa le plus fut la photo d'un bateau américain en flammes dont je peux encore citer de mémoire la légende : « Okinawa, le porte-avions *Bunker Hill* après l'attaque de deux kamikazes, quelques heures avant qu'il ne sombre. » En italiques, dans le texte, nous trouvâmes la définition du mot kamikaze : « Les kamikazes sont des pilotes qui pour sauver leur pays acceptent la mission suicidaire de lâcher leur bombe si près du navire ennemi qu'ils n'ont aucune chance de ne pas le percuter. » Je lis que, grâce aux kamikazes, les Japonais ont coulé bon nombre de navires américains. Mon père n'était pas sur le *Bunker Hill*, mais sur le *Maryland*. Aucune mention du *Maryland*.

– Ne t'inquiète pas, nous trouverons, dit Nathalie surexcitée par ce passionnant jeu de piste. Tu te rends compte, ton père a traversé le Pacifique, tu te rends compte, ces énormes bateaux, et ces kamikazes, tu te rends compte...

Je ne me rendais pas compte, je n'éprouvais rien, si ce n'est la fierté d'avoir rendu Nathalie si contente.

Je poussai mon avantage dès le dîner suivant. Un haut-le-cœur me souleva quand je pénétrai dans l'appartement. C'était vendredi, jour du poisson. J'avançais comme à l'abattoir. La sensation de commettre une erreur en obéissant à Nathalie ne me quittait pas. Seule l'idée d'offusquer les trois masques blafards au-dessus de leurs assiettes me soutenait. Le poisson, je ne peux pas l'avaler. Je vais vomir. Mange pendant que c'est chaud, dit grand-mère. Et moi, je réponds :

— Le *Maryland*, c'est un porte-avions ?

Silence à nouveau. Maman arrête de manger. Elle garde stupidement la bouche ouverte. Sa lèvre supérieure tressaute. Grand-père et grand-mère, eux, continuent d'avaler leur poisson, comme s'ils n'avaient pas entendu.

— Mange, finit par laisser tomber grand-mère, les enfants ne parlent pas à table.

Je ne mange pas. Je les regarde. En une journée j'ai changé de camp, je ne serai plus

victime mais bourreau. J'attends ma réponse.
Je pense qu'elle viendra de grand-père. Mais
il a dû se faire chapitrer, il garde lâchement
le nez dans son assiette.

— Mange ! crie nerveusement grand-mère.

Non. Je suis en sueur. La cuisine est une
caisse qui tangue. Je m'agrippe à la table. Et
c'est maman que j'entends murmurer avec
difficulté :

— Un cuirassé.

— Bénédicte ! Tu vas te rendre malade,
intervient grand-mère.

Mais je continue :

— Un cuirassé ? Qu'est-ce que c'est ?

Les mains de maman se mettent à trembler. Elle quitte la table.

— Prends tes cachets, lui crie grand-mère,
puis se tournant vers moi avant d'aller rejoindre sa fille : Tu vois ce que tu as fait !

Je suis seule avec grand-père. Tout en
continuant d'avaler méthodiquement son
poisson et son riz, il se met à parler, comme
pour lui-même :

— Le cuirassé, c'est le navire amiral. Le plus

gros de l'escadre. Le blindage de sa coque lui permet de résister aux attaques des missiles et fusées sous-marines. C'est également le mieux équipé pour la D.C.A.

— Qu'est-ce que c'est ?

— Défense contre avions. Son pont est hérissé de coupoles et de tourelles chargées de canons.

— Comment est-ce que papa est mort ?

Il hésite, avale une bouchée, ne me regarde toujours pas.

— Une bombe japonaise qui a éventré le pont.

— Un kamikaze ?

Cette fois, il lève les yeux, surpris.

— Comment sais-tu ?

— Je ne suis pas aussi bête que vous croyez.

La canne de grand-mère se rapproche. Je jette :

— Je veux savoir qui est mon père.

— Ma pauvre enfant, nous ne l'avons pas connu, soupire-t-il avant que grand-mère n'entre, le visage décomposé, le masque défait

54

par un mélange d'inquiétude et d'indigna-
tion.

— J'ai dû la forcer à prendre son calmant.
Elle m'a griffée. Puis se tournant vers moi :
Tu es maligne, toi ! Tu crois qu'on n'a pas
assez avec ta mère ?

Les larmes me montent aux yeux. Je serre
les poings.

— Débarrasse, puisque tu ne veux pas manger. Moi, je n'ai plus faim.

J'ai jeté à la poubelle le contenu répugnant
des trois assiettes pendant que grand-père
pelait son fruit. Des tourelles, des canons...
— si seulement une bombe avait pu exploser
rue de la Bienfaisance. Mon père naviguait.
On n'étouffe pas sur la mer.

Le jeudi suivant, Nathalie cassa sa tirelire
et nous allâmes chez Gibert acheter tout ce
qu'il était possible de trouver sur la guerre du
Japon. Enfermées dans sa chambre, nous passâmes l'après-midi à déchiffrer ces livres trop
difficiles pour nous, nous attardant sur les

photos que nous retrouvions souvent d'un livre à l'autre : des navires en flammes, des ponts éventrés, des petits points noirs dans le ciel figurant un avion prêt à piquer, des avions au sol, forteresses B-21, chasseurs Mitsubishi Zéro, des groupes de pilotes kamikazes posant pour leur famille avant l'attaque, des quartiers de Tokyo bombardés. Nous sautions directement au chapitre sur Okinawa. Et nous trouvâmes : le *Maryland*, rescapé des combats de Pearl Harbor et de Leyte, encaisse le 6 avril 1945 l'assaut d'un kamikaze. Les dégâts sont réparables. Mais le 7 avril, un second kamikaze écrase son chasseur Zéro sur le pont. Le feu gagne les magasins de munitions qui explosent, provoquant de nombreux morts parmi les marins. Le navire est désemparé. Il ne coule pas mais, rendu inutilisable par de fortes avaries, se voit contraint de regagner les Etats-Unis. Mon père est mort le 7 avril 1945. Sa mort était dans les livres. Je m'y jetai. Je découvris le vertige de la lecture, cette soif de pages noircies de signes qui coupent de l'espace et du temps pour enfermer à l'intérieur d'elles-mêmes comme dans les grilles de leurs jambages. J'ai dit que je ne savais pas penser. Je ne pensais pas quand je lisais. J'étais hypnotisée. J'avalais les mots, jusqu'à ce que les lignes se brouillent devant mes yeux, jusqu'à l'abrutissement. C'était presque une envie de mourir, je crois. Une envie de mourir dans la guerre du Japon.

Ma mère, paraît-il, tomba malade à cause de moi. Comme si elle n'était pas déjà malade ! Elle ne faisait plus ses patiences. Elle tournait en rond dans sa chambre et appelait mon père inlassablement. Cela m'exaspérait. Est-ce que je l'appelais, moi ? (Je pense maintenant qu'elle avait dû se mettre à faire semblant d'avaler ses calmants, peut-être pour nous embêter, peut-être parce que j'avais parlé et qu'elle essayait de vouloir m'aider, mais comment le comprendre à ce moment-là ?) Elle se remit à sortir, comme lorsque j'étais tout enfant, à rentrer saoule à n'importe quelle heure du jour ou de la nuit.

Grand-mère n'avait plus la force de lui résister. Ses genoux la faisaient souffrir. Bien qu'elle ne se plaignît pas, on le voyait à son visage. Que pouvait-elle contre une femme qui n'avait même pas quarante ans ? Moi seule aurais pu m'interposer. Elle ne me faisait plus peur. Mais je n'en avais pas envie. Au contraire, j'étais curieuse de surveiller sa dégradation. C'était ma façon de commencer à m'intéresser à elle. Un jour, je la suivis.

Elle prit le boulevard Malesherbes, vers Saint-Augustin, marchant vite, comme quelqu'un qui sait où il va, sans faire attention aux voitures quand elle traversait. Elle n'avait ni sac, ni argent, ni papiers. Elle dépassa l'église et s'arrêta devant le Cercle militaire, sembla hésiter un instant, puis poussa la porte. J'attendis, interloquée, frustrée. Il était inimaginable que ma mère connût quelqu'un que je ne connaissais pas. Au bout d'un moment, je collai mon visage à la porte vitrée. Des officiers en uniforme discutaient dans le hall, leur casquette à la main. D'abord je ne la vis pas. Puis soudain elle fut là, assise sur un canapé, fumant une cigarette, par quel mystère je ne sais pas. Son visage avait quelque chose d'étrange, une sorte d'éclat inhabituel. Elle regardait le groupe d'officiers au milieu du hall. Elle avait l'air d'attendre. Un matelot se pencha vers elle. Elle fit non de la tête. Je compris alors d'où venait que je la trouvais bizarre : ses lèvres étaient rouge sang. Elle croisait les jambes, les deux mains comme abandonnées de chaque côté d'elle sur le canapé. Son manteau s'était ouvert. Et je m'aperçus que, malgré ses vilaines chaussures plates et le vieil imperméable de grand-mère, ma mère était belle, grande, mince, la peau lisse, les yeux couleur d'eau, ses longs cheveux châtains coulant sur ses épaules. Je ne connaissais rien du désir, si ce n'est celui des yeux de Nathalie, mais je devinai quelque chose à fleur de sa peau, quelque chose qui s'échappait d'elle et la transfigurait, quelque chose qu'elle avait volontairement souligné sur ses lèvres. Je reculai et m'assis sur un banc, les jambes coupées.

Au bout d'une demi-heure, un officier sor-

tit, un cartable à la main. Et presque sur ses
talons, ma mère. L'homme marchait vers la
Madeleine et ma mère suivait, quelques pas
derrière lui. Après qu'ils eurent traversé le
boulevard, elle le rattrapa, elle lui parla. Je
ne pouvais pas distinguer leurs visages. Mais
je vis qu'au bout d'un temps ma mère se
serra contre lui et frotta sa joue sur son
épaule. L'homme tenta de se défaire d'elle.
Elle s'agrippa. Elle lui tint le bras tout le
long de la rue Royale. On aurait dit qu'il la
traînait, son cartable pendant entre eux. Des
passants se retournaient et s'arrêtaient un
instant. Puis il se dégagea si brusquement
qu'elle en chancela. Il disparut par une porte
où se tenait un matelot qui le salua. Ma
mère ne le suivit pas. Elle resta les bras bal-
lants, sans bouger, comme morte debout.
J'eus presque peur de son immobilité. Il
s'était mis à pleuvoir et ses cheveux collaient
à son visage. Elle remonta lentement vers
moi cachée sous un porche. Quand elle
arriva à ma hauteur, je remarquai qu'elle
était barbouillée de rouge à lèvres, à force de

s'être frottée sur l'homme, et un souvenir me fit tressaillir des pieds à la tête : celui du sucre qu'elle essuyait sur ma bouche.

Une fois, je la surpris sous le péristyle de la Madeleine, adossée à un pilier et enlacée à un homme comme si elle lui mangeait les lèvres. Je les suivis jusqu'à un petit hôtel de la rue Vignon. Ils y restèrent une heure tandis que, comme un chien, je montais la garde. Une autre fois, elle sonna à l'entrée de service du Cercle militaire. Un soir que je la cherchais en sortant du lycée, je la trouvai assise dans un bar du boulevard Malesherbes, entre deux matelots qui la faisaient boire en riant. J'eus honte. Je me mis à pleurer, sans doute à cause des matelots qui riaient. Nous dînions sans elle. Elle rentrait en titubant et, toute la nuit, nous l'entendions gémir : Andrew, Andrew...

Je ne dors pas. J'écoute maman tourner dans sa chambre. Tiroirs doucement poussés, pas étouffés, ressorts qui grincent. Elle prépare l'une de ses expéditions nocturnes. J'allume ma lumière et j'ouvre grand ma

porte. Je veux qu'elle me voie. Je veux qu'elle
sache que je sais tout. Au bout de cinq minu-
tes effectivement, le loquet s'abaisse et le
visage de ma mère s'encadre dans la lumière
de l'embrasure. Ecarlate. Elle recule précipi-
tamment. C'est moi qui fais peur, à présent.
C'est moi qui règne sur la rue de la Bienfaisance. La porte s'entrouvre une seconde fois,
aussitôt refermée. Espère-t-elle que je m'en-
dorme pour sortir ? Elle peut toujours attendre. Elle devra passer par mes fourches cau-
dines. J'avais appris cette expression à l'école.
L'humiliation des vaincus. J'entends sanglo-
ter derrière la porte, longtemps. Je ne suis pas
pressée. Quelques pas, puis plus rien. Plus un
pleur, et pas le moindre bourdonnement dans
mes oreilles. Rien que le vide de la nuit dans
lequel je veille toute seule. Ma mère n'a pas
voulu de moi. Mon corps est comme posé à
mon côté. Je ne le sens plus. Je me lève et
rentre dans sa chambre. La lampe de chevet
brûle. Elle gît en manteau, sur le lit fermé.
Elle dort comme une noyée. Je lui enlève ses
chaussures, pousse ses jambes sur le lit, net-

toie sa bouche avec un coton, ferme le flacon de somnifère, éteins la lumière. La démolition est bien avancée.

Chaque jour je faisais un compte rendu à Nathalie. Elle n'était pas contente. Les choses n'allaient pas comme elle voulait. Elle disait que j'aurais dû m'asseoir à côté de ma mère et doucement lui demander : Parle-moi de papa. Dis-moi comment tu l'as rencontré, ce que vous vous êtes dit la première fois. Est-ce que je lui ressemble ? Qu'est-ce que tu préférais en lui ? Qu'est-ce que tu n'aimais pas ? Maman, parle-moi, je suis ta fille, je suis sa fille, votre fille. Est-ce qu'il te faisait des cadeaux ? Est-ce qu'il aimait écrire ? Montre-moi ses lettres. Je suis sûre que tu les gardes cachées quelque part. Réponds, maman. Maman... Je haussais les épaules. Puisqu'elle y tenait tant, elle n'avait qu'à aller trouver ma mère. Moi non plus, je n'étais pas contente. Elle ne me laissait plus démêler ses longs cheveux, elle ne m'appelait plus grenouille et me couvait d'un regard inquiet que je n'aimais pas. J'étais flouée. Désappointée,

63

je me durcissais davantage. Je rentrais à la maison quand bon me semblait, sans jamais prévenir. Je m'enfermais dans ma chambre, ne mangeais pratiquement pas et prenais la parole à table pour poser des questions auxquelles personne ne pouvait répondre. La santé de mes grands-parents s'altéra. Bientôt, il ne fut plus question du dîner mensuel avec les prêtres. Dieu n'étant pas tendre, le printemps fut particulièrement humide, catastrophique pour les rhumatismes et les grippes. Un soir, je trouvai grand-mère prostrée dans la cuisine. Elle ne savait pas où était ma mère, grand-père était au lit avec une grosse grippe et elle n'avait pas préparé le dîner. La famille était enfin défaite.

Je mentirais en disant que je fus heureuse de cette victoire. J'étais trop fatiguée. Je passais mes nuits à lire. La journée, je courais après ma mère puis au collège en écrivant moi-même des mots pour excuser mes absences. Je grandissais beaucoup. Et surtout, j'avais des bourdonnements d'oreilles de plus en plus forts, de plus en plus fréquents.

Grand-mère avait fini par m'envoyer chez un oto-rhino qui n'avait rien décelé. Elle m'avait acheté une poire en caoutchouc et je giclais à chaque crise de l'eau chaude sur mes tympans, ce qui me donnait des vertiges. Mais, outre cette fatigue, je ne savais pas suffisamment réfléchir pour comprendre que j'avais remporté une victoire. J'étais mue par une pulsion qu'avait provoquée Nathalie, elle m'emportait, c'était tout.

L'année scolaire tirait à sa fin. J'évitais Nathalie. Elle me proposa de partir en vacances avec elle dans la maison de ses cousins, près de Bordeaux. Je dis non. Pourtant je savais que nous n'irions pas à Fécamp. Par l'intermédiaire de la paroisse, grand-mère m'avait inscrite dans une colonie de vacances. Nous nous dîmes adieu gravement. Je ne savais pas que c'était un adieu définitif : son père retournait travailler au Maroc.

L'oto-rhino m'avait trouvée faible et avait recommandé pour moi un séjour à la mon-

tagne. Pendant que mes grands-parents crou-
pissaient au fond de leur appartement et que
ma mère courait les rues dans la chaleur du
mois d'août, je partis donc pour le Vercors
avec la paroisse, me souvenant de *La Chèvre
de monsieur Seguin*. Les monitrices nous faisaient marcher tous les jours. Il fallait grimper
dur à travers les arbres puis on débouchait
sur des sentiers de crête dominant de grandes
combes. Telle Blanchette, j'avançais sans
effort. Je dépassais mes camarades dont je
méprisais les plaintes et les soupirs. Nous
n'allions jamais assez loin. J'aurais voulu rentrer à la nuit tombante, dévorer l'espace
jusqu'au soir. J'escaladais à grandes enjam-
bées, j'étirais mes bras en croix. Ma maladresse avait disparu. Je me sentais devenir un
buisson, un sapin, un oiseau, un caillou, un
nuage. J'écoutais la transparence du silence.
Quand on grimpait sous les arbres, les pieds
s'enfonçaient dans l'humus et faisaient un
bruyant remue-ménage. Mais dès qu'on arrivait au sommet, que s'écartait la frondaison
des sapins, de gros rochers affleuraient et les

pas devenaient silencieux, comme le ciel qui s'ouvrait devant nous. La montagne s'écroulait à pic au-dessus d'une large vallée. Je restais debout, immobile au-dessus du vide. Pas la moindre vibration, pas le moindre bourdonnement. Un calme immense, vertigineux. Je n'en croyais pas mes oreilles. Ma peau tout entière écoutait et absorbait le silence. Des centaines de kilos me tombaient des épaules. Je cherchais où me cacher, je m'allongeais sous le ciel calme pour simplement respirer, me sentir traversée d'air pur. Les monitrices s'inquiétaient. Leurs cris me parvenaient affaiblis. J'aimais entendre mon nom, comme un écho venant mourir à mes pieds.

Sans doute ce silence me rendit-il attentive aux bruits qui m'entouraient. Ces vacances furent une délectation pour mes oreilles. Pas une seule fois je ne me servis de la poire en caoutchouc. La chute d'une cascade, le murmure d'un ruisseau, la foulée des hautes herbes, le vent dans les sapins, le piaillement des oiseaux, les cloches d'un troupeau, celles de l'église... et même le tic-tac de ma montre, le

grincement du plancher de bois, la respiration essoufflée de mes camarades, les chan-
sons des monitrices, tout m'était sujet d'étonnement. Le monde me rentrait par les oreilles
et le monde m'émerveillait. Non plus comme
m'émerveillaient les étoiles sur le balcon de
Fécamp, lointaines et mystérieuses malgré les
explications de grand-père. Non, ce merveil-
leux-là m'entourait. Je m'y promenais, j'en
faisais partie. Je compris la gêne que repré-
sentaient mes bourdonnements. D'habitude,
j'essayais de les minimiser : ce n'était pas
grave, d'autres souffraient bien davantage.
Ici, j'éprouvais une véritable détresse à l'idée
que le bonheur d'entendre, j'allais peut-être
à nouveau le perdre.

Le soir, je restai longtemps sous la douche,
fourbue d'une bonne fatigue. Ce fut là, dans
ce box de fortune où l'on cognait à la porte
parce que je m'attardais, que je regardai mon
corps pour la première fois et qu'il me plut.
J'avais de longue jambes qui m'avaient fidè-
lement portée, des seins déjà lourds dont la
peau était si fine que j'y voyais courir le réseau

délicat de mon sang. Je me savonnais avec soin, comme si je lavais quelqu'un d'autre. Et pourtant c'était moi. J'étais troublée. Car qui étais-je : celle qui lavait ou celle qui était lavée, celle qui donnait ou celle qui recevait les bonnes frictions savonneuses ? A me poser ces questions, je vidais la réserve d'eau chaude. Il y avait un miroir dans le couloir des douches. Je ne pouvais pas m'y regarder toute nue. Je m'y arrêtais longtemps drapée dans mon peignoir et je dévisageais mon image en répétant doucement : « Laura, Laura Carlson. » J'étais moi et une autre jusqu'au vertige.

Quand, après la clarté du Vercors, je montai l'escalier sombre de la rue de la Bienfaisance, quand j'entendis venir du fond de l'appartement la canne de grand-mère, quand la porte s'ouvrit sur l'odeur rance et poussiéreuse de notre intérieur, j'eus envie de descendre l'escalier en courant, de fuir à toutes jambes. Je flageolai sous une décharge de désespoir. Mon cachot s'ouvrait à nouveau, avec ses trois occupants. Le maître des lieux, cramponné à sa canne, les bajoues tremblantes, et ses deux acolytes, l'un phtisique et l'autre, fait nouveau, constamment secouée d'un petit rire. Ces deux-là, j'eus l'impression qu'ils se rendaient à peine compte de mon retour. Grand-mère constata que j'avais bonne mine, me pesa, me mesura et, satisfaite, me demanda si j'avais eu des bourdonnements d'oreilles. Je lui répondis que non. La paroisse fut félicitée. Le morne train-train reprit. Il me restait quinze jours avant la rentrée. Nathalie n'était plus là. Maman sortait comme elle voulait. Nous n'y faisions plus attention. Souvent, j'allais marcher dans les rues moi aussi, non plus pour la suivre. Peut-être pour l'imiter. La marche me faisait du bien.

Je reçus un paquet de Nathalie. Un petit livre intitulé *Je mourrai à Okinawa*, journal intime d'un kamikaze nommé Tsurukawa Oshi. Je n'ouvris d'abord pas le livre. Il resta sur une étagère, la couverture contre le bois, sous mes manuels scolaires.

Jusqu'à ce jour de décembre où j'eus une otite. Une très forte double otite avec beaucoup de fièvre. L'oto-rhino me creva les tympans. Et ce qui devait arriver arriva : mes bourdonnements recommencèrent. Et comme mes tympans étaient ouverts, ils me rentraient dans la tête si bien que j'avais l'impression qu'elle allait éclater. L'oto-rhino disait que c'était normal, que le pus faisait pression sur le cerveau, que dès que je serais guérie je n'entendrais plus rien. Grand-mère me recommandait de prier, et je priais effectivement pour calmer ma peur. Je restai alitée une quinzaine de jours. Quand la fièvre commença à tomber, j'essayai de travailler un peu. En prenant mes livres de classe, je vis le journal de Tsurukawa Oshi et je l'ouvris.

J'avais beaucoup lu sur la guerre du Pacifique. Ce n'était pas pour exercer ma pensée ou acquérir des connaissances, ni même pour savoir si mon père avait fait ceci ou cela les derniers jours de sa vie. Je lisais et relisais dans un état d'hypnotisme, fascinée par les noms de lieux, les termes de guerre ou de marine, les chiffres, les cartes, les photos. Mais ce livre-là, écrit à la première personne, par un jeune homme d'à peine dix-huit ans, je le dévorai, c'est-à-dire je le mangeai, c'est-à-dire qu'il ne fut plus devant moi mais en moi, que je n'eus plus besoin de l'ouvrir pour savoir ce qu'il y avait dedans, quoique je ne m'en privasse pas. Il fit la connexion de toutes mes facultés, raisonnement et imagination. Il fit mon unité autour de lui. Il la fit au détriment de mon père. Car l'incroyable est que j'oubliai totalement cet homme que j'avais entrepris de chercher, il est vrai à l'instigation de Nathalie. J'oubliai tout ce que je lui avais promis de faire une fois devenue grande : me renseigner auprès des services de l'armée américaine, aller à New York, mettre mes pas dans les siens. Je devins la proie de ce livre. Désormais, chaque fois que j'entendis les bourdonnements, ils s'associèrent spontanément au chasseur de Tsurukawa Oshi.

Il m'arrive de penser que grand-mère le

connaissait. Peut-être la poursuivait-il elle aussi. Elle se défendait bec et ongles et, pour cette raison, avait rayé le souvenir de mon père, trop dangereux, trop proche de lui. C'était pour me protéger, c'était pour m'aider, et moi je ne comprenais pas. Peut-être s'acharnait-il également sur ma mère, voilà pourquoi elle appelait tout le temps mon père, le suppliant de venir la sauver, la délivrer. Peut-être qu'il s'introduisait dans toutes les familles de guerrier mort, et qu'avec ses dix-huit années d'innocence il rendait fous les survivants jusqu'à ce qu'une mère, un enfant abandonne la lutte et lui pardonne et le délivre de son crime. Comment savoir puisque grand-mère est morte et que maman a oublié ? Comment savoir puisqu'elles n'ont rien dit ?

Bien évidemment, Tsurukawa Oshi ne raconte pas sa propre mort. Au fil des jours, en un style très enfantin, il décrit minutieusement les quatre mois d'entraînement de sa compagnie, composée exclusivement d'étudiants des universités impériales. Quatre mois pour apprendre à mourir au lieu de devenir géographe, physicien ou philosophe, avec un consentement sans réserve, un sens aigu du tragique. Puis il tient le compte du départ de ses camarades pour l'unique assaut dont ils ne reviendront pas, évoque l'attente impatiente et anxieuse de son tour. Il note et renote comme pour se rassurer le scénario de son sacrifice. Il n'a qu'une mort à offrir à son empereur. Il ne s'agit pas de la gâcher. Le temps décidera de la stratégie. Si le ciel est couvert, l'attaque aura lieu en piqué. Il devra se positionner au-dessus de l'escadre à cinq mille mètres d'altitude et, de là, tomber droit sur sa cible, la cheminée du navire si possible, point d'impact le plus efficace. Si le ciel est dégagé, afin d'éviter les radars il volera très bas, au ras des vagues, et au dernier moment redressera le nez de son chasseur pour percuter le flanc. L'important est de garder les yeux ouverts jusqu'au dernier instant, jusque sur l'obstacle, jusqu'à l'explosion. Trop d'avions ont été sacrifiés en vain, parce que les pilotes, affolés par les canons de contre-attaque, par le grossissement vertigineux de leur cible, par l'imminence du choc, fermaient les yeux pour mourir et déviaient ainsi leur trajectoire de quelques mètres, tombant inutilement dans la mer. De la mort elle-même, de la douleur de ses parents, il ne dit rien, n'imagine rien. Au moment de piquer, le kamikaze signale par radio : « Je plonge. » Puis le contact est perdu. Le kamikaze est perdu. Il est mort de toute façon, même s'il rate sa cible, même s'il échappe aux canons américains. Il n'a pas d'essence pour rentrer à la base.

A l'autre bout du monde, au-dessus de la mer plate comme une tôle, le chasseur s'est mis en route. Rue de la Bienfaisance, allongée sur mon lit dans le noir de la chambre — parfois en rentrant maman oubliait d'éteindre le couloir et je me levais, exaspérée, pour faire disparaître la lumière qui filtrait sous la porte —, je l'attends. Mes grands-parents ont sombré dans l'oubli, de chaque côté du remblai qui sépare leur matelas ; ma mère cuve son alcool, moi je guette un signe, un frémissement du silence. Je sais qu'il va venir. J'ai peur mais je l'attends. Je ne me recroqueville pas. Les rideaux tremblent d'une légère vibration. Je sens crisser sur ma peau le poil hérissé de leur velours. Le bruit suinte du tissu, augmente progressivement, gagne les murs, s'installe en un grondement sourd qui tourne en pesant sur moi. Je m'enfonce dans le lit. J'essaie de m'abandonner tout entière. J'ai chaud. Je n'ose pas repousser la couverture. De soir en soir, il revient. Je m'habitue. Une nuit, je lui parle, je murmure : « Est-ce que tu me vois ? Est-ce que tu vois la laideur de cet appartement ? Qu'est-ce que tu viens faire ? » Au début, il ne répond pas. Il continue de tourner, imperturbable. Mais, à la longue, il me semble distinguer des modifications sonores. Je me convaincs qu'une amplification du bruit signifie un oui. Je l'entretiens de maman. Tu sais où elle est ma mère, en ce moment ? Elle est dans un bar et des hommes posent leurs grosses mains sur ses

fesses. Ils lui paient à boire pour la saouler.
Le ronronnement se rapproche. Il est tout
près de moi. Il me touche l'intérieur des oreilles. Je supporte. « Ne t'en va pas, Tsurukawa,
console-moi. »

Toutes les nuits maintenant il venait
s'asseoir au bord de mon lit, et je m'endormais avec lui.

Mais, un matin tôt, ma mère tomba dans
l'escalier. La concierge la trouva à l'aube, ron-
flant en travers des marches. Son coup de
sonnette me réveilla en sursaut et je me levai
très vite. Comme je secouais maman sans
aucun résultat, j'entendis arriver Tsurukawa.
« Va-t'en, soufflai-je, ce n'est pas le moment. » Pour la relever, je la pris sous les
épaules. J'avais presque réussi à la mettre
debout. Sa tête pendait sur le côté. Je la serrais
dans mes bras. La concierge caquetait. Le
chasseur vrombissait. Je sentis la sueur dégou-
liner sur ma peau. D'abord des étoiles zigza-
guèrent devant mes yeux. Puis les murs se
mirent à tourner. Et soudain un sifflement
suraigu, enflant à une vertigineuse vitesse,

hurla du haut en bas de la cage d'escalier. J'eus l'impression que ma chemise de nuit se déchirait d'un seul coup le long de mon dos. Je m'évanouis, entraînant ma mère dans ma chute. Elle se redressa la première. Le choc l'avait enfin réveillée. La concierge assura que je m'étais levée trop vite. Elle n'avait apparemment rien entendu et nous raccompagna dans nos chambres respectives.

Il veut me tuer. Il veut me transpercer, pensai-je en essuyant mon corps trempé de sueur. Je me suis trompée. Je n'ai pas d'ami. Je n'aurai jamais d'ami. Il campe dans les airs pour m'abattre comme il a abattu mon père. Je suis seule jusqu'à la fin des temps. S'il revient je mourrai.

Incapable de rester dans ma chambre, je sortis dans la rue. Le soleil rebondissait sur les vitres des voitures qui me semblèrent des armées d'avions rampant sur le sol, agglutinés au feu rouge, réserve incalculable de tôles prêtes à se fracasser. Tous les bruits me parlaient du chasseur. Tous les bruits portaient en puissance le hurlement du chasseur. Où me cacher ? Je rentrai dans ma chambre que j'avais fuie une heure plus tôt. Je voyais mon corps trembler. Je me recroquevillai sur la descente de lit et n'en bougeai plus.

Grand-mère s'inquiéta. Avait-elle mis au monde une lignée de folles ? Elle clopina jusqu'à moi, essaya des mots gentils, si incongrus dans sa bouche que je n'arrivais pas à les écouter. J'en saisis toutefois un qui ne relevait ni du sentiment ni de Notre-Seigneur : boules Quies. Je descendis immédiatement à la pharmacie. Oh, le bonheur d'étouffer ces deux trous constamment ouverts ! J'enfonçai, je tassai, je ne laissai pas le moindre soupçon d'interstice. Oh, le repos ! J'entendis mon cœur battre dans une tranquille régularité. J'étais en moi-même, j'étais une boule. Je pleurai.

Si je n'avais pas eu l'obligation d'aller au lycée, de ce jour-là j'aurais définitivement bouché mes oreilles. Au début, je portais en permanence mes boules Quies. Je disais à mes professeurs que grand-mère m'obligeait à mettre du coton dans les oreilles. Aux regards qu'on me lançait, je voyais bien qu'on commençait à me croire cinglée. Je fis des efforts. Je tripotais les petites boules de cire entre mes doigts, prêtes à les écraser contre mes tympans au moindre bourdonnement. Elles me rassurèrent, me permirent de trouver un modus vivendi et, grâce à elles, je pus poursuivre mes études.

Un jour, ma mère partit. L'inattendu avait fait irruption chez nous sous la forme d'un homme mûr, au teint hâlé, à la voix forte et aux sourcils broussailleux. Pendant six mois, il vint deux fois par semaine s'asseoir dans le salon pour parler avec mes grands-parents en acceptant deux doigts d'un madère qui sentait la poussière. Parfois, il était encore là quand je rentrais des cours. Un soir, il alla chercher ma mère dans sa chambre, l'assit à côté de lui, me demanda de prendre place, et après s'être raclé la gorge annonça à la famille ainsi réunie qu'il allait épouser maman, l'emmener dans sa villa sur la Côte, parmi les pins où crissent les cigales. Il dit qu'il voulait nous aider, devenir le soutien de la famille. Il dit qu'il connaissait une maison de retraite sérieuse et confortable où mes grands-parents jouiraient d'une solide surveillance médicale et seraient dégagés de tout souci. Il dit qu'il voulait faire pour moi ce qu'aurait fait un père. Qu'il allait m'acheter un petit appartement pour terminer mes études. Il dit que j'avais été une bonne fille et que je devais maintenant penser à moi. De temps en temps, il se tournait vers maman et ajoutait : « N'est-ce pas, Bénédicte ? » Maman répondait oui à tout. Elle avait retrouvé l'usage de la parole pour dire ce seul mot : oui. Nous, nous ne disions rien. Nous n'arrivions pas à boire le champagne qu'il avait débouché pour l'occasion. S'il s'attendait à de chaleureux remerciements, il en fut pour ses frais. De toutes les façons, nous n'avions pas été consultés et nous n'avions rien à dire. Il nous prenait maman. C'était la conclusion logique de six mois d'invasion à laquelle nous n'avions pas opposé la moindre résistance.

Depuis le soir où il l'avait ramenée dégouli-
nante de pluie parce qu'elle avait erré tout
l'après-midi entre la place Saint-Augustin et
la Concorde, chaque jour il nous l'avait prise
davantage. Il l'avait vêtue de tailleurs chics et
chaussée de talons hauts. Au début elle avait
eu du mal à marcher, comme une grande
enfant qui commencerait d'apprendre. Il
l'avait emmenée chez un coiffeur pour lui
couper les cheveux. Il l'avait conduite chez
un psychiatre recommandé par un de ses
amis. Car cet homme a des amis. Il paraît
que le psychiatre était très intéressé par son
cas. Amnésie caractérisée mais partielle. Elle
se souvenait d'un nom, d'un visage, rien
d'autre de ce qui fut sa vie en Amérique. J'ai
voulu demander si elle se souvenait que j'étais
sa fille mais je n'ai pas osé. Mes grands-
parents non plus n'osaient rien dire. Ils rape-
tissaient de plus en plus, se ratatinaient dans
un coin de l'appartement où l'étranger était
entré en force. Je ne les ai jamais vus si misé-
rables, même quand maman fuguait toutes
les nuits. Il était évident qu'une maison de

retraite leur serait bénéfique. Pourtant, après que l'étranger eut fermé la porte en laissant sa bouteille de champagne à peine entamée, grand-mère eut un sursaut de révolte. Elle brandit sa canne et, le regard mauvais, le visage soudain rouge et dur, elle cria qu'on n'avait pas le droit d'enlever une fille à sa mère, que jamais, au grand jamais elle ne quitterait son appartement, et qu'un homme qui coupe les cheveux d'une femme ne méritait pas sa confiance. Une grimace de douleur tordit sa bouche, elle porta la main à son cœur et la canne roula à ses pieds. Devant cette ridicule épée, je pensai à la tirade de Don Diègue : « Mon bras qu'avec respect toute l'Espagne admire... »

Et elle partit. Elle gagna. Elle gagna sur toute la ligne. Nous assistâmes à son départ. Une 403 grise attendait devant le porche, chargée de toutes les affaires qu'il lui avait achetées. Elle descendit une dernière fois l'escalier sombre, sans un regard en arrière, sans un dernier tour dans l'appartement. Grand-mère aussi descendit, en s'agrippant à

83

moi. Une interminable descente avec station sur chaque marche. Et nous fûmes tous sur le trottoir dans la fraîcheur d'un beau matin de juin. Je me demandais si elle allait nous embrasser, mais c'est lui qui prit les devants. Embrasse ta famille, Bénédicte. Elle se pencha vers grand-mère. Autrefois, elles avaient presque la même taille. Elle embrassa docilement chacune de nos joues. Son chapeau la gênait. Elle n'eut pas l'idée de l'enlever. Aucune parole ne fut échangée. Il lui prit le bras, l'installa comme une reine dans la voiture, tel le prince charmant dont je rêvais petite et que je n'avais pas reconnu bien qu'il fît beaucoup d'efforts pour lui ressembler. Preuve tout de même de son émoi, il répéta pour la énième fois qu'il reviendrait dans une dizaine de jours conduire mes grands parents à L'Haÿ-les-Roses où les attendait une chambre dans un asile de luxe. La voiture démarra en douceur et tourna dans le boulevard Malesherbes en direction de la Côte d'Azur. Je me souvins de notre grosse Citroën 15 (nous prenions le boulevard Malesherbes

dans l'autre sens), du panier de pique-nique
sur les genoux, de l'excitation de grand-père,
et je nous regardai tous les trois, honteux,
démantibulés, statues du désarroi, incapables
de nous décider à regagner la solitude de ce
qui était encore pour quelque temps notre
maison. Grand-père s'ébranla le premier,
dans ses charentaises devenues trop grandes
et qui le faisaient marcher à petits pas. Allons,
viens à présent, dit-il à sa femme. Et ce fut
comme s'il prenait pour la première fois en
main les affaires de son ménage, comme
s'il jouait pour la première fois son rôle
d'homme. Chacun à son bras, nous ramenâ-
mes chez elle la mère bafouée, l'impératrice
détrônée. Il l'installa dans son fauteuil, lui
porta gentiment son châle. On aurait dit
qu'ils allaient enfin s'aimer, dans la misère de
leurs vieux os, dans l'attente de leur mort.
Cela me dégoûta un peu et je me détournai.
Avant de partir, j'allai dans la chambre de
maman. Elle avait laissé sur la table les chaussures plates et les vieilles robes de grand-mère,
sa peau de cauchemar, sa peau de douleur. Le

tiroir de la table de nuit était vide. Elle avait pris les photos de papa.

L'appartement fut mis en vente. Des clients visitaient régulièrement, par l'entremise d'une agence à qui mon beau-père avait donné les clés. Parfois aussi c'était moi qui faisais l'article. Le soir, je triais les affaires. Celles que mes grands-parents emportaient à L'Haÿ-les-Roses, et moi quai de Jemmapes. J'avais visité le petit deux-pièces avec lui. Sa blancheur m'avait éblouie. J'avais dit oui, comme maman. Dans l'armoire grande ouverte du salon, de son fauteuil, grand-mère me désignait quelques nappes. Prends-les, me dit-elle, et n'oublie pas le vieux Rouen dans le buffet. Deux piles d'assiettes achetées chaque année pour moi. Alors sans raison, devant ces traces si joliment coloriées d'un passé qui m'étouffait, devant ces preuves douze fois recommencées des projets que rêvait pour moi ma grand-mère, des larmes me montèrent aux yeux.

Il était si clair, mon nouveau logis, avec ses murs immaculés, sa moquette beige, sa table de pin, sa cuisinière toute neuve. Et ma vie si vide à présent que les trois autres m'avaient abandonnée. Je n'avais rien à faire jusqu'à l'ouverture de l'université où je commençais des études de mathématiques parce qu'aucune autre idée ne m'était venue et que le chasseur ne m'empêchait pas de compter. Dans la salle de bains toute blanche elle aussi, j'avais accumulé des rangées de boîtes de boules Quies. Et puisque j'étais seule, je ne me privais pas de les porter. Rien ne s'opposait désormais à ce que je sois sourde.

Rue de la Bienfaisance déjà, depuis l'attaque de l'escalier, je n'avais plus dormi les oreilles vides. Mais, pendant la journée, j'étais bien forcée d'entendre. Aussi le chasseur avait-il récidivé, cinq ou six fois, en assauts violents. Je ne m'évanouissais plus. Je restais paralysée, m'attendant à mourir sans jamais mourir. Et ce qui chaque fois m'effrayait autant que sa venue, c'était de révéler à ceux qui me voyaient – une fois même ce fut à mon beau-père – quelque chose que je n'étais plus capable de garder caché, que je sentais affluer sur mon visage et que personne n'aurait dû voir. Ici au moins j'étais tranquille, je n'avais pas de spectateurs et aucun besoin d'entendre. Quand je reçus un dossier de l'université où figurait déjà mon numéro d'étudiante, j'eus un sursaut. Je compris clairement que, si je ne me ressaisissais pas immédiatement, plus rien jamais ne changerait pour moi et que je mourrais sourde dans un appartement tout blanc. J'allais devoir affronter une foule de visages qui ne connaissaient rien de moi. N'était-ce pas l'occasion d'un nouveau départ ? Ce mot d'étudiante, aux syllabes vigoureuses, brilla dans mon désarroi comme un horizon de salut. Oui, je serais une étudiante normale, perdue parmi la foule de ces jeunes gens chargés de dossiers, attablés dans des cafés au milieu de volutes de fumée. En remplissant le dossier, de toutes mes forces, je décidai d'engager le combat. J'ôtai mes boules Quies, les jetai à la poubelle, ouvris les fenêtres. La rumeur assoupie de Paris au mois d'août m'accueillit. Et sans ordre de grand-mère, mes lèvres lui murmurèrent une prière.

J'eus d'abord l'idée d'une ruse. J'écrivis à mon beau-père que l'appartement était sonore et que les voisins faisaient un bruit tel que je n'arrivais pas à dormir. Il envoya une entreprise poser un faux plafond. Les travaux m'occupèrent et j'eus la chance de tomber sur des ouvriers particulièrement sympathiques. Ils plaisantaient sans cesse. Leurs blagues étaient idiotes mais elles me faisaient beaucoup rire. Je leur achetais des bières. Nous trinquions ensemble. « Elle sera tranquille pour travailler avec son faux plafond, me disaient-ils. On pourra faire la java au-dessus, elle entendra pas. » Faire la java, mon Dieu, est-ce qu'un jour moi aussi je pourrais faire la java ? Ils ne restèrent que trois jours mais leur gentillesse et leur gaieté me firent un bien considérable. Je n'avais pas le souvenir qu'aucun adulte se fût adressé à moi en riant ou seulement avec légèreté.

Je décidai aussi, pour mieux lutter, de provoquer la venue du chasseur. Je voulais m'entraîner à garder un visage impavide sous le feu de son attaque, de façon qu'aucun étudiant jamais ne soupçonne mon secret. J'allais m'asseoir à ma table dans la lumière de l'été et je restais à l'attendre. Je ne bougeais pas. Je savais qu'il était là, il suffisait d'un peu de patience. Je me répétais : quand il fondra, je lui rirai au nez, je penserai sans relâche à une vulgaire sirène d'usine. Mais soit que le faux plafond lui fût impossible à traverser, soit qu'il tînt à ne se manifester qu'à l'improviste, j'eus beau tendre l'oreille, je n'entendis jamais rien d'autre que le ronronnement habituel et perpétuel par lequel il me signalait son existence. Il me vint tout de même à l'idée que, s'il ne m'avait pas attaquée, c'était que mon observation l'avait tenu en respect. Cette découverte me donna du courage et j'attendis dans le calme et la détermination la rentrée universitaire, tout à fait résolue à devenir une étudiante normale.

La première fois que je m'assis sur les gradins de l'amphithéâtre, je fus stupéfaite. Je me tournai et me retournai et constatai que j'étais entourée de garçons. Çà et là émergeaient, isolées, incongrues, quelques têtes de filles. A l'époque les lycées étaient rarement mixtes. Le mien en tout cas ne l'était pas. Les seuls hommes que j'avais vus d'un peu près étaient mon grand-père, des prêtres et mon beau-père. Ma virginité était absolue. Je ne me lassais pas de les regarder. Ils me plurent d'emblée. Tous. Le genre masculin me plut. Son allure plus gauche que celle des filles, sa peau plus épaisse, son odeur de sueur, ses ongles rongés et, malgré cette matérialité un peu poisseuse, son air d'étrangeté me donnèrent immédiatement envie d'aller vers lui. Alors que les autres filles se groupaient entre elles, je m'installai timidement parmi eux.

Bien que je ne sois pas bavarde, je devins vite une camarade recherchée, d'abord pour mes facilités en mathématiques, ensuite parce que je me trouvais la seule à posséder un appartement. J'en ouvris la porte à qui voulait et le mot fut rapidement passé. Nous étions souvent une dizaine à y dîner le soir, chaque étudiant apportant son écot. Ils se comportaient exactement comme je l'avais espéré, fumant, parlant, plaisantant. Moi, je les dévorais des yeux. L'espoir me serrait la gorge, l'espoir d'être l'une des leurs, fondue, perdue en eux, l'espoir d'être entraînée dans leur exubérance joyeuse. C'était impossible, bien entendu. Tsurukawa n'avait pas l'intention de m'abandonner. Je l'entendais tourner au-dessus de nos têtes, doucement, régulièrement. Je souriais. Personne ne voyait rien. Dans ma poche, ma main se crispait sur ma boîte de boules Quies. Je faisais la cuisine. Je lavais les verres. J'aurais toujours le recours d'aller m'enfermer dans ma chambre s'il passait à l'attaque. Je regardais discrètement ma montre, partagée entre l'envie que tout le monde s'en aille et le désir qu'il me reste un ou deux compagnons que l'absence de métro contraindrait à dormir chez moi. Non que je voulais coucher avec eux. Je n'avais pas la moindre idée d'une telle possibilité. Mais les sentir dormir sur les coussins du canapé tandis que dans mon lit je reculais l'instant de me boucher les oreilles m'apaisait. Il me semblait que, puisque eux dormaient, Tsurukawa devait dormir, là-bas, dans son campement militaire. J'imaginais la rangée de lits et tous les corps immobiles. Moi aussi j'étais allongée. Les avions aussi sommeillaient dans leur hangar. L'assoupissement des garçons répandait la trêve sur le monde. Et j'avais raison car, ces nuits-là, le chasseur ne faisait jamais de sortie.

Ce fut pendant que j'étais assise à côté des étudiants, écoutant un cours ou refaisant pour eux une démonstration délicate, que je sentis les premières atteintes du désir. Je devinai que j'aurais voulu être prise dans les bras. Je ne savais pas demander. J'attendais qu'ils le fassent. Je rusais pour les encourager : la tête me tournait ou alors il faisait soudain froid. L'un d'eux le comprit. Il habitait près de chez moi et nous rentrions souvent ensemble. Nos chemins se séparaient rue du Faubourg-du-Temple. Ce soir-là, au milieu de la foule

93

nombreuse qui arpentait le trottoir, au lieu du traditionnel « Salut ! » avec lequel nous nous quittions, il m'attira brusquement contre lui. Malgré nos cartables qui nous gênaient, nous étions complètement collés l'un à l'autre. Nous restâmes ainsi quelques secondes sans bouger. Il me serrait très fort et c'était comme une délivrance. Mon instinct ne m'avait pas trompée. Malheureusement, le jeune homme voulut m'embrasser. Je m'affolai, me débattis et, rougeaud, penaud, il me laissa partir en bredouillant une excuse. Je n'avais jamais imaginé que le fait de se serrer dans les bras d'un garçon puisse être autre chose qu'une fin en soi. Je ne savais strictement rien de la sexualité, si ce n'est quelques définitions trouvées dans le Larousse. J'avais bien vu ma mère embrasser des hommes. Mais ce n'était qu'une raison pour m'en dégoûter. Ainsi, jusqu'à ce que je rencontre Bruno, personne ne m'embrassa. Les hommes pouvaient me tenir contre eux. Pour ce qui était de rentrer à l'intérieur, c'était une autre affaire.

Maintenant, je sais qu'on peut faire l'amour sans jamais se serrer dans les bras.

Il y avait une raison objective à ma peur d'être embrassée. Mes dents. A cause de mes bourdonnements, j'étais incapable d'aller chez le dentiste. M'asseoir le visage renversé en arrière, exposée de la tête aux pieds, dans l'obligation d'ouvrir la bouche et de la maintenir ouverte, sur un fauteuil qui n'est même pas au sol et semble flotter dans l'espace, accepter qu'un inconnu mette ses mains dans ma bouche, supporter le crissement d'une fraise, sentir comme une troisième oreille au fond du palais qui répercute les vibrations dans la boîte crânienne, ne pas pouvoir bouger sous peine d'être blessée, constituaient pour moi une épreuve insurmontable. Je me contentais d'aspirine et d'antibiotiques. Je parlais les lèvres serrées, gardant machinalement une main devant la bouche. J'ai, je crois, un joli visage, les yeux gris clair comme ceux de maman, ombrés de longs cils, les lèvres bien dessinées, pulpeuses, presque trop. Mais dès que j'ouvre la bouche, apparaît une rangée de dents jaunes et mal plantées. Grand-mère se préoccupait grandement de mes cheveux mais ne voyait pas que mes dents poussaient les unes sur les autres. La première fois que Bruno m'a embrassée, j'ai pleuré. J'ai toujours cru que je dégoûtais les hommes, ma bouche, tout ce qui est caché en moi.

C'était notre troisième ou quatrième soirée de l'année. Je ne sais plus le nom de celui qui nous recevait mais je me rappelle qu'il habitait un grand appartement rue des Petits-Champs et qu'un balcon courait sur toute la façade. Je me rappelle aussi que les fenêtres étaient ouvertes et qu'on voyait tourner la grande roue au jardin des Tuileries, dans une nappe de lumières multicolores. Nous étions en juin et fêtions la fin de nos examens. Il y avait beaucoup de gens que je ne connaissais pas. Je dansais facilement avec les inconnus. Je préférais danser que parler. Moi qui avais tant de difficulté à soutenir une conversation,

qui m'affolais dès qu'on me posait une question personnelle (j'avais beau avoir grandi, je
ne savais toujours pas penser), je n'avais
aucune pudeur, aucune retenue dans ma façon de danser, j'avais en fait envie de tomber
dans des bras, n'importe quels bras. Mais, ce
soir, je savais que je risquais un danger : celui
du baiser refusé dans la rue du Faubourg-du-
Temple. Sans doute chacun des garçons ici
présents s'attendait-il à ce que j'ouvre la bouche, et la peur brisait mon plaisir. Est-ce pour
cela que j'abusai de la sangria qui trônait au
milieu du buffet ? En ce cas, l'effet escompté
ne se produisit pas, je n'ouvris pas la bouche.
Mais bernée par l'assurance mensongère de
l'alcool, alors que depuis le début de l'année
je faisais tout pour éloigner sa présence, j'eus
l'envie folle d'appeler Tsurukawa, de lui parler. Lui ne danse pas comme nous. Il marche
au pas de gymnastique du dortoir à son aka-
tombo, l'avion jaune sur lequel il apprend à
piloter. Tokyo meurt sous les bombes des forteresses B-21. Et si nous tous, qui sommes
en train de boire et danser, on nous deman-

dait demain, au nom de notre pays, de partir pour une base d'entraînement, le ferions-nous ? Ce garçon qui me tient dans ses bras et semble plutôt emprunté, tiendrait-il avec plus d'aisance un fusil, une grenade, un lance-flammes ? Pourquoi est-ce d'autres que nous qui connurent les bombes, eurent le devoir de faire la guerre ? Dans la pièce à côté, un groupe discutait marxisme et décolonisation. Personne ici n'était parti pour l'Algérie. Les études permettaient d'obtenir un sursis. Sur la couverture du livre, il y a une photo de Tsurukawa. Il figure au milieu d'un groupe de huit pilotes, le troisième de la première rangée en partant de la gauche. Il porte la tunique noire aux boutons ornés de fleurs de cerisier. Sa tête est ceinte d'un bandeau frappé en son centre d'un rond rouge, le soleil levant, la trace du doigt de la mort. Pendant que je dansais, d'une passe à l'autre, je l'imaginais marchant parmi nous et nous regardant de ses yeux inexpressifs, le visage indéchiffrable et paisible alors que sur nos fronts à nous perlait la sueur. On dit que ceux qui sentent venir la mort suent d'angoisse. La peau de Tsurukawa est sèche. Soudain, quelqu'un éteignit toutes les lumières et mit sur le pick-up *Only You*. Couvre-feu. Seul le halo de la grande roue projetait quelques lueurs dans l'appartement, comme un très lointain incendie. Mon cavalier se rapprocha de moi et je commençai d'étouffer. Le baiser était imminent. Par-dessus son épaule je cherchai Tsurukawa. Les boutons dorés de sa tunique brilleraient peut-être dans l'obscurité. Je ne vis rien. Alors j'eus la certitude absolue qu'il avait lui-même éteint la lumière pour mieux me surprendre. Cette fois il allait me tuer, cette fois j'allais mourir. Mon cœur se mit à sauter dans ma poitrine. Je voulus crier qu'on rallume mais j'avais déjà la gorge nouée. J'étais déjà nouée et les yeux durcis, sauf mes oreilles qui commençaient avidement de sonder l'espace. Je ne pouvais plus danser. Mon cavalier ballottait un bout de bois. Sous mes pieds je sentais les trépidations du moteur. Tout à l'heure, le bruit du chasseur Zéro m'avait fugitivement traversé la tête mais, en écoutant bien, je m'étais rendu compte que le martèlement des danseurs sur le plancher prêtait à confusion. De quel côté devais-je l'attendre ? Des colonnes de fourmis me montaient dans les jambes, dans les bras. Avant qu'elles ne me paralysent, il fallait que j'arrive aux toilettes et que j'enfonce mes boules Quies. Je poussai les corps qui s'agrippaient les uns aux autres. Je cherchai mon sac dans l'amas de manteaux jetés dans l'entrée. J'entendais maintenant parfaitement l'avion. La voix du chanteur aurait voulu faire de lui un oiseau insouciant voltigeant dans les courants du ciel, moi je savais bien qu'il portait la mort. Je dénichai enfin mon sac mais les toilettes étaient occupées. Je dus rester dans le couloir. Je fouillai fébrilement. Voici la petite boîte blanc crème. Mes mains tremblaient. Je l'ouvris. Elle était vide. J'avais oublié de la changer. Les canons de contre-attaque passèrent à l'action. Une série de détonations successives explosa dans mes jambes, des chocs sourds et répétés. Je réussis à trouver la force de quitter le couloir.

Je retournai parmi les danseurs qui dérivaient toujours dans le noir. Les obus tombaient en chuintant dans la mer et j'entendais gicler l'eau autour de moi, la muraille d'eau qui se dresse et retombe, fracassante, pour aveugler le kamikaze. Cela forme comme un brouillard dans la tête, un énorme bruit de fond. La voix du chanteur en était balayée et parfois découverte, ramenée à la surface. Les danseurs oscillaient sur le pont. J'étouffais. Je me traînai sur le balcon. Je n'aurais pas dû. C'est par là qu'il arriva, le ventre chargé de bombes. Le sifflement suraigu. Il grossit. Il va fondre. Je n'entends plus la musique. Ça hurle. Ça rugit. Ça me traverse, me révulse. Mon visage se tord, je le sens. Il se tord autour de mes yeux fixes comme des clous. Ils vont tous voir mon intérieur. Ils vont tous voir que je deviens un monstre. Je résiste. Je m'accroche au fer forgé. Je reste debout. Je ne crie pas. J'entends comme de très loin la voix de mon cavalier : « Tu viens danser, Laura ? » Je prends une grande inspiration. Je me retourne. Je lui montre mon visage. « La grande roue, me dit-il en balbutiant, tu es toute rouge. » Et il recule en s'excusant. Je pose les mains sur mes joues, pas pour me cacher, non, mais pour que revienne la sensation du toucher, la vie de la peau. J'essuie des gouttes de sueur dans mes sourcils. J'attends que mes lèvres retrouvent leur souplesse. J'ai gagné. Je prends mon élan. Je deviens forte. Je vais boire un verre de sangria et je danse avec n'importe qui. Je crie ma joie en dansant. Bientôt j'écraserai Tsurukawa sous mon talon.

Bruno vint dîner un soir quai de Jemmapes. Il terminait ses études au Conservatoire de musique, en classe de composition. Je ne sais plus comment ni pourquoi il fut introduit dans notre groupe, je sais qu'il revint souvent. Il se taisait presque autant que moi mais parfois, il se lançait dans de violentes diatribes contre la sclérose du mathématicien. Il nous citait Nono en exemple. Nous ne savions pas qui était Nono. J'aimais l'entendre parler. Son débit précipité, mal maîtrisé, donnait une expression légèrement douloureuse à son visage. On aurait dit que les mots lui écorchaient les lèvres au passage et j'aurais voulu les caresser, les lisser de mes mains afin qu'ils ne soient plus blessants. Quand il en avait fini, il retrouvait très vite son air affable et l'extrême attention de son regard à nous, à moi surtout me semblait-il, ce qui me faisait intérieurement tressaillir. Un soir il resta le dernier. Je ne tentai même pas de me donner une contenance en rangeant la vaisselle. Mon cœur battait trop vite, je tremblais trop. Je restai assise sur le canapé, incapable de proférer un son, essayant bravement de lui sourire. Lui non plus ne parla pas. Ses doigts se posèrent sur mes cheveux puis glissèrent sur mon visage. Je n'avais vécu que pour cet instant, que pour ce geste. Ma vie tout entière se recroquevilla dans sa main. Quand il voulut m'embrasser, je fermai d'instinct la bouche. Mais il ne s'arrêta pas à mes pleurs. Il me connaissait déjà parfaitement. Il ne s'arrêta pas avant que je sois inondée de larmes, de sueur, de sang, de joie. Au petit matin, il partit sans un mot. Je ne bougeai pas de la journée. J'attendais qu'il revienne. Il le fit le soir même.

Immédiatement, nous jetâmes dehors les amis qui avaient leurs habitudes chez moi. Il entra dans ma vie avec son gros Revox et nous vécûmes quasi enfermés, dans une discipline de fer, entre l'amour et le travail.

J'aurais voulu rester collée à lui vingt-quatre heures sur vingt-quatre. J'aurais voulu ne plus jamais me tenir debout. Je me vidais de moi. Je devenais tellement creuse que le moindre attouchement me faisait trembler tout entière. Je ne savais même plus ce qu'il touchait de moi, où était ma tête, où étaient mes jambes. Parfois l'image de mes dents me surprenait en plein abandon. Alors je m'ouvrais encore, encore davantage, persuadée que Bruno allait réussir à extirper ce fond de pourriture scellée en moi.

C'était lui qui exigeait que nous travaillions. Il voulait un premier prix et s'acharnait sur la composition d'un quatuor classique bien que son intérêt se portât entièrement sur la musique électroacoustique. Il me laissait régulièrement pour aller à l'O.R.T.F. Sans faire partie du Groupe de recherches musicales, il était admis à assister à leurs travaux. J'en profitais pour bâcler mes mathématiques, ce qu'il me reprochait : « Tu dois devenir une grande mathématicienne », disait-il. Il nourrissait pour moi l'ambition que je n'avais pas.

Bruno fit mon éducation musicale. Je ne connaissais que Chopin parce que Nathalie adorait Chopin. Je me gavais de sonates, de lieder, de concertos, d'opéras. Tout de suite j'aimai Schubert, et je ne me lassais pas de l'entendre. Bruno riait et disait que j'avais des goûts bourgeois. Quand je lui demandais pourquoi, il devenait grave et m'expliquait que j'étais prisonnière d'une accommodation culturelle à l'harmonie classique, qu'il y avait une facilité obscène à se laisser flatter les sens par l'émotion romantique, de même qu'à vivre sans aucune conscience politique, ce qui était mon cas. Il essayait d'analyser pour moi les recherches de la musique contemporaine, le continuum dynamique entre son et silence, les microstructures sonores. Pendant que je l'écoutais, je voyais revenir sur son visage l'expression douloureuse qui m'avait tant frappée, et j'étais désespérée de ne pouvoir ni comprendre ni apprécier ses recherches. Je savais maintenant qui était Nono, c'était son dieu, son maître absolu, le foyer de sa création dans laquelle je ne pénétrais pas. Je souffrais de mon incapacité, mais le sentiment qu'il possédait un secret hors de ma portée me le faisait aimer davantage.

Parfois je le regardais, penché sur ses partitions. Sa concentration me fascinait. Je me retenais de bouger pour ne pas le déranger. Le désir montait en moi rien qu'à le regarder.

Je me mis à chérir mon corps. J'achetais des tee-shirts moulants pour souligner mes seins trop lourds. Je m'épilais, me maquillais, me mettais du henné sur la tête. Je restais à me regarder dans la glace et j'étais fière de ma beauté. Le dimanche, j'allais à L'Haÿ-les-Roses voir mes grands-parents. Leur laideur m'effrayait. La mort approchait d'eux mais je ne voulais pas la voir. Je venais de découvrir le plaisir, et cette révélation plongeait le reste du monde dans l'inexistence.

Nous passâmes presque deux ans dans cette frénésie. Bruno avait obtenu un premier prix et moi ma licence avec félicitations. Je préparais maintenant une maîtrise sur Pythagore. Lui donnait des leçons dans un conservatoire d'arrondissement. Il souffrait de n'être qu'un auditeur du Groupe de recherches musicales. On lui demandait une œuvre, il ne voulait remettre que des fragments. C'était une position idéologique que Nono, bien sûr, appréciait. Peut-être aussi le trouvait-on trop jeune. Il supportait stoïquement son purgatoire. Nous faisions souvent tourner le Revox jusqu'à l'aube, écoutant du jazz et buvant le vin qu'il aimait, du sancerre. Nous pouvions pousser le volume à cause du faux plafond. Je flottais dans l'espace. Il me semblait que la musique sortait de moi. Mais c'était dans le silence et dans la violence que nous faisions l'amour.

Il reçut un jour une lettre de Nono l'invitant à travailler avec lui au studio électronique de Milan durant trois mois. Il ne désirait rien davantage. Devant mon désarroi, il essaya de contenir sa joie. Nous nous aimâmes avec plus de violence encore, lui dans un bonheur fou, moi dans la détresse.

Nous en étions déjà à organiser son départ quand arriva sa convocation pour le service militaire. Son sursis avait pris fin. Il l'avait totalement oublié. La déception l'abattit. J'avais beau savoir qu'il allait tout autant partir, et même plus longtemps, je fus soulagée. Il fit ses classes près de Maisons-Laffitte. On lui rasa sa longue chevelure bouclée. Il en fut comme nu, d'une fragilité inattendue. Je passais et repassais ma main désolée sur sa tête nouvelle. J'avais peur qu'il n'ait froid. Par bonheur, on le laissa rentrer presque tous les soirs à la maison. Mais ensuite, il fut envoyé à Châteaulin en Bretagne, dans un régiment d'infanterie où il dut attendre un mois et demi pour obtenir une permission. Je restai donc seule. Pendant un mois et demi, j'attendis exclusivement le moment de le revoir. Je faisais tourner le Revox, je le voyais assis, en train d'écouter, la tête appuyée dans une main. J'achetais du sancerre que je sirotais au lit. J'en renversais un petit peu entre mes seins. Le liquide me coulait sur le ventre. Bruno me baptisait ainsi, puis il me léchait. Je me plongeais dans ma maîtrise sur Pythagore, uniquement parce que je savais lui faire ainsi plaisir.

On lui accorda quarante-huit heures au début du mois de juin. Nous décidâmes que je le rejoindrais afin de ne pas perdre le temps du trajet.

J'arrivai au soir dans la petite gare de Châteaulin, un peu étourdie par le voyage. Bruno vint à ma rencontre du bout du quai. Nous ne courûmes pas l'un vers l'autre. Il avançait en souriant vers moi, dans son uniforme de soldat de deuxième classe, avec ses cheveux tondus. Et puis je... j'éprouvai un léger malaise à le voir s'approcher. L'uniforme ne lui allait pas. Il avait maigri. Ses traits étaient tirés. Je ne me souvenais pas que la forme de son crâne était à ce point carrée. Mais il me serra dans ses bras et mon malaise passa. Nous prîmes un café à la buvette de la gare. Il se plaignit. Il dormait mal. Son barda lui blessait les épaules et il arrivait bon dernier dans les marches forcées. La vie militaire l'abîmait. Je l'encourageai de mon mieux, et fis taire la gêne qui me revenait devant ce visage fatigué, différent. Nous prîmes l'autocar pour Douarnenez où il avait retenu une chambre d'hôtel. Une grande baie donnait sur la mer, dans la douceur pourpre du couchant. Nous l'ouvrîmes en grand. « La musique et toi, c'est tout ce qui fait ma vie, disait-il, et je n'ai ni l'un ni l'autre. » Bruno m'aimait sans jamais me le dire. Je fus tellement surprise de cet aveu manifeste que je ne pensai pas à le remercier, ni même à me réjouir. « Je suis là, répondis-je, regarde-moi. — Tu as raison, souffla-t-il, je suis idiot. » Et il éclata de rire. Moi aussi. Nous sortîmes manger une langouste et boire du vin blanc.

Au restaurant, il se détendit et me parla beaucoup de Nono. Celui-ci lui avait envoyé sa dernière partition qu'il devait créer à la Biennale de Venise, événement auquel Bruno se désolait de ne pouvoir assister. Mais dès qu'il aurait fini son service, il irait à Milan. Il faudrait que je m'arrange pour venir avec lui. Est-ce que je connaissais l'Italie ? Nous y serions heureux. Je voyais Bruno renaître et j'étais déjà heureuse. Pourquoi pas, je pourrais moi aussi aller à Milan. Il me demanda de lui envoyer une autre partition de Nono qu'il avait laissée à la maison et qu'il voulait étudier. Il m'en écrivit le titre sur un bout de papier qu'il glissa près de mon assiette : *Canti di vita e d'amore : sul ponte di Hiroshima*. Une sueur d'angoisse m'inonda. Même mes cheveux furent mouillés.

Je bus trop, beaucoup trop. Je crois bien que Bruno me demanda en mariage mais je ne sais plus ce que je répondis. Riant de me voir ivre, il m'emmena titubante jusqu'au pied du phare. L'air frais me dégrisa. Je claquai des dents tant j'avais froid.

Dans la chambre, il a allumé une bougie et m'a déshabillée. Jusque-là, rien d'anormal. Je me laisse faire. J'aime me laisser faire. Mais pourquoi ne s'est-il pas déshabillé lui aussi ? La flamme vacille entre les murs. Il me regarde. Je vois quelque chose d'égaré dans ses yeux. Ils ont perdu leur expression attentive. Je murmure : « Enlève ton uniforme, ça me fait peur. » Et comme il le fait, comme il enlève ses gros godillots, comme il enlève son ceinturon et que je vois apparaître sa peau blafarde et son sexe déjà dur, la terreur m'envahit. Mes jambes se tétanisent. Je ne sens pas ses mains sur ma peau. Je ne le sens pas. Il m'allonge sur le lit. Il vient sur moi. Je ne sais plus qui est là. Il devient fou. Il s'acharne. Il cogne pour entrer. Il va rentrer. Je lutte. Et tout d'un coup j'entends un hurlement suraigu. Et ce hurlement me pénètre, me traverse. Je m'arc-boute sous l'effet d'une contraction très intense, plus intense encore, plus irradiante que la volupté. Elle monte sur mon visage. Et mon visage se transforme, je le sens. Je reste soulevée du lit, les bras en croix. Je me demande où est Bruno. Je l'ai violemment rejeté et il a dû rouler loin de moi. Puis je m'effondre, anéantie, réduite en cendres. Je tombe dans une inertie complète. Pour rien au monde, je ne bougerai. Le visage de Bruno apparaît au-dessus de moi. Je ferme les yeux pour ne pas le voir. Je crois que je m'endors quasi immédiatement.

Au matin, il voulut me caresser. L'armée lui avait durci les mains et ses paumes me râpaient la peau. Je me levai aussitôt. Il ne dit rien. Mais son regard se fit soupçonneux. Nous allâmes passer la journée à Saint-Malo. Je n'osais pas lever les yeux. Nous flânions dans les rues, nous faisions semblant de parler. Je racontai mon programme actuel de mathématiques, il répondit qu'il avait demandé à être affecté au service des transports, qu'il allait peut-être conduire de gros camions. Sa voix avait perdu son excitation. Un pressentiment alourdissait mes pas. Les hauts murs sombres des austères maisons malouines, les rues montueuses que le soleil de juin n'arrivait pas à réchauffer, l'immense

113

étendue de sable où la mer stagnait par flaques, tout incitait à la mélancolie. En fin de soirée, la marée monta. Jusqu'à ce que le soleil disparaisse, nous restâmes accoudés aux remparts à contempler les vagues qui sautaient sur les récifs dans une clameur répétée jusqu'à l'hébétude. Nous nous endormîmes dans une chambre solennelle, froide comme un tombeau, serrés l'un contre l'autre sans avoir le courage de parler.

Un cauchemar me réveilla en sursaut au milieu de la nuit. Un bourdonnement assourdissant faisait vibrer les murs de l'hôtel. La sueur collait à nouveau mes cheveux à mon cou. Au bout d'un moment je me rendis compte que Bruno ronflait. Ce n'était que ça. Mon cœur se calma peu à peu. J'allumai la veilleuse. Il ne se réveilla pas, se retourna en maugréant et cessa de ronfler. Je contemplai son dos, me sentant très seule. Pourquoi dormait-il si bien ? Les larmes roulaient sur mes joues. Pourquoi ne le caressais-je pas jusqu'à ce qu'il se réveille ? Après avoir éteint la lumière, je me glissai le plus discrètement possible contre lui, et continuai de pleurer en silence.

La caserne où je le raccompagnais se dressait au milieu de la lande bretonne. Je me disais que nous allions nous embrasser en descendant de l'autobus, que je lui dirais enfin mon amour dans cette dernière étreinte. Nous nous embrassâmes. Mais il le fit si violemment qu'il me mordit la lèvre. Puis il partit sans se retourner. J'essayai de crier. Aucun son ne sortit de ma gorge. Ma lèvre enflait déjà.

Il n'y avait presque personne dans le train qui me ramena à Paris. J'avais la tête vide, le corps vide, la lèvre brûlante et un léger tournis comme si je n'avais pas mangé depuis longtemps. Arrivée chez moi, j'expédiai à Bruno la partition de Nono puis je sortis le livre de Tsurukawa. Je regardai longtemps son visage énigmatique et relus son journal d'une traite. Quand je l'eus terminé, je me couchai et l'attendis, résignée. Il ne m'épargna pas. Le lendemain, je descendis à la pharmacie acheter une réserve de boules Quies pour

115

pouvoir continuer à me rendre à la faculté, et ma vie reprit le cours qui était le sien et dont un accident l'avait temporairement détournée.

J'obtins ma maîtrise de mathématiques avec mention et descendis en juillet voir ma mère. Elle parlait à présent. Mais elle s'exprimait uniquement à la troisième personne. « Tu as bien dormi, Bénédicte ? » lui demandait son mari. « Elle a bien dormi, merci, » répondait ma mère avec un sourire. J'avais l'impression qu'elle faisait exprès, qu'elle nous avait tous dupés. Elle était bien plus forte que moi. Je passais mes journées allongée sur le sable à écouter le chasseur tourner dans le soleil. La mer se trouait de milliers de bombes. Le vacarme devenait épouvantable. J'attrapais des insolations.

Bruno eut une permission de quatre jours au mois d'août. Nous nous retrouvâmes cette fois-ci à Paris. Quand il posa ses mains sur moi, lentement, anxieusement, je voulus le

supplier d'arrêter. Je n'arrivai pas à parler.
Alors il se reproduisit exactement la même
chose. Non pas que j'eusse peur de son uniforme puisqu'il avait pris soin de se désha-
biller dans la salle de bains. Mais je ne sentis
rien, absolument rien jusqu'au moment où
le hurlement du chasseur fondit sur moi. Le
plaisir fut d'une telle intensité que je tombai
comme morte. Bruno crut sans doute que je
m'étais évanouie car il me secoua les épaules
en s'exclamant : « Qu'est-ce que tu as ?
Qu'est-ce que tu as ? » Je le sentis à peine et
m'endormis. Je passai une excellente nuit.
Quand je me réveillai, Bruno était déjà à son
bureau en train de travailler sur une partition.
Je le voyais de dos. Sans se retourner, il me
demanda s'il y avait quelqu'un dans ma vie.
Je dis non. J'aurais pu dire oui. « Cette nuit,
tu as crié comme si je te faisais mal », ajouta-
t-il. Je murmurai que non. Et la conversation
tomba.

Bruno semblait avoir retrouvé son équili-
bre, ou du moins l'envie de travailler. Il passa
presque toute sa permission assis à son

bureau. Je l'aimais mieux ainsi. Je pouvais recommencer à l'admirer. Et je me disais même qu'un accommodement serait possible entre Tsurukawa et lui. Ma mère ne me donnait-elle pas l'exemple ? En fin d'après-midi nous sortions nous promener le long du canal. Il faisait encore très chaud. Nous buvions des pastis. Il parlait à nouveau de Milan.

Le troisième jour, Tsurukaa fut violent. J'étais beaucoup moins vulnérable qu'aux premiers temps. Je sortis marcher dans la rue. Il ne me lâcha pas. Je rentrai écouter du Bach avec un casque pour ne pas gêner Bruno. Je l'entendais toujours. Je finis par mettre mes boules Quies. J'étais grotesque avec ces bouchons dans les oreilles. Bruno ne les verrait pas puisque mes cheveux les dissimulaient, mais il faudrait bien donner une explication à ma surdité. Je voyais son visage penché sur la table, son beau visage plein d'attention, plein d'intelligence et de concentration, son visage qui inventait de la musique. Il dut sentir mon regard car il tourna la tête et me

scruta avec étonnement. Il dit en souriant
quelque chose à quoi évidemment je ne
répondis pas. Il se leva et vint s'asseoir à mon
côté, tout près de moi. Je fixais ses lèvres sans
chercher à comprendre ce qu'elles disaient. Il
me prit contre lui, me caressa les cheveux, les
lèvres. Alors quelque chose céda en moi. Je
me souvins de sa première caresse. Je fondis
en larmes. Je pleurai sans plus m'arrêter. Je
hoquetai. Et dans les hoquets, je crachai,
comme les vipères et les crapauds des *Fées*, le
secret que j'avais cru pouvoir oublier. Je dis
que j'étais poursuivie par un bruit, que ce
bruit était un avion, qu'il y avait un Japonais
dans cet avion. Ma voix me résonnait à l'intérieur du crâne. J'avais honte, conscience de
l'invraisemblable et du ridicule de ce que je
racontais. C'était comme si je reconnaissais
officiellement que j'étais folle alors que j'essayais seulement de dire la vérité. Je racontai
tout, les otites, la poire en caoutchouc, les
ronronnements, les attaques, les boules Quies,
le faux plafond, et que Tsurukawa était parti
pendant deux ans, et qu'il était revenu à Châ-

119

teaulin. Mes aveux me blessaient comme autant d'arguments que j'accumulais contre moi. Je dis que lorsque nous faisions l'amour, c'était maintenant Tsurukawa qui me prenait et qu'il me ravageait. Bruno savait seulement que mon père était mort à Okinawa, que ma mère s'était remariée et qu'elle vivait dans le Midi. En parlant, je prenais conscience de l'énormité de ce que je lui avais caché. Et c'était maintenant cette pensée, d'avoir tant dissimulé, qui me poignait d'un intense chagrin et redoublait mes pleurs. Je n'osais pas le regarder. J'aurais voulu disparaître à ses pieds, n'y être plus qu'une flaque de larmes. Quand je me tus, il alla me chercher un verre de vin et se mit à son tour à parler. Il parla longtemps, me prenant de temps en temps la main. Je ne sais pas, je ne saurai jamais ce qu'il m'a dit car je n'ai rien entendu. Mais je me calmai petit à petit. Une immense fatigue m'envahit, anesthésia ma peine. Quand il me sembla qu'il avait fini, je me levai et lui donnai le journal de Tsurukawa. Il me déshabilla, me coucha, puis je le vis se plonger dans la lecture.

Au réveil, j'enlevai discrètement mes boules Quies et constatai avec soulagement le silence de la chambre. Bruno avait posé le livre sur sa table de nuit à côté de sa montre. Il gisait là comme un banal objet familier. J'en eus un sentiment de malaise et le remis précautionneusement dans la bibliothèque. Bruno ne fit aucune allusion aux événements de la veille. Il fut extrêmement tendre et gentil. Nous allâmes à pied jusqu'à la gare Montparnasse. Sur le chemin, il m'acheta une robe et me dit que j'étais belle.

Grand-père fut hospitalisé au mois de septembre. C'est là, dans cette chambre où il était si fatigué qu'il pouvait à peine ouvrir les yeux, que je réalisai que je ne connaissais rien, absolument rien de lui si ce n'est sa passion pour la pêche à la morue. De la mort, je ne savais que la disparition et le silence. Je compris qu'elle pouvait signifier aussi la peine et le regret. En sortant, j'allai voir grand-mère. Je la trouvai dans son fauteuil roulant, droguée, la tête tombant sur sa poitrine. Elle va se laisser mourir. Je restai à la regarder, ne sachant que dire. Je coiffai ses cheveux défaits. Elle ne réagit pas. Le soir, j'écrivis à mon beau-père que c'était la fin et qu'il fallait peut-être le dire à maman. Il fut de mon avis mais ils arrivèrent trop tard. Grand-père était déjà mort. Les retrouvailles entre la mère et la fille furent hésitantes. Maman lui avait apporté une robe de chambre qui n'était pas à la bonne taille. Grand-mère émettait un petit gloussement sardonique devant les changements de sa fille, comme si elle savait à quoi s'en tenir. Mais de temps en temps, elle jetait sur elle un regard plein de timidité. Quant à moi, on espéra que je viendrais pour Noël. On me dit même que si j'avais un ami, je pouvais l'amener. Cette idée me troubla. Formions-nous un couple, Bruno et moi ? Un couple comme mes grands-parents, comme ma mère et mon beau-père ? Vivions-nous ce que tout le monde vivait ? Qu'est-ce que les autres pouvaient voir de nous ? Je n'aurais pas aimé qu'on nous devine.

Parallèlement à mon doctorat, je m'inscrivis dans le département d'histoire au cours de M. Bertin sur la guerre du Pacifique. C'était un petit professeur d'une cinquantaine d'années, à la voix fragile et au regard de myope, sarcastique et brillant. Il était marxiste comme presque tous ses confrères. Les étudiants se pressaient dans son amphithéâtre. Il commença par démonter l'énorme machine économique de la guerre et je fus prise de pitié pour Tsurukawa. Le capitalisme, disait M. Bertin, menait le monde droit à sa destruction et la guerre du Pacifique en fournissait le plus frappant exemple. Tsurukawa, dont l'existence m'était si intime parce qu'elle avait tant de répercussions sur la mienne, n'avait été qu'un pion anonyme, irresponsable, totalement manipulé, dans un crapuleux conflit économique dégénérant jusqu'à la tuerie. Ce n'était plus mon bourreau, c'était une victime. Peut-être ces explications rationnelles allaient-elles lui faire perdre son pouvoir sur moi ? Je ne manquais pas un seul cours et les suivais passionnément. Etais-je en train d'acquérir la conscience politique que Bruno me reprochait de ne pas avoir ? Il aurait été heureux de me savoir là. Pourtant, quand Tsurukawa vrombissait sous le vaste plafond de l'amphithéâtre, j'avais envie de crier : Ecoutez-le ! Ecoutez comme il vous nargue ! Il se moque de vos démonstrations. Il est beaucoup plus fort que vos analyses. Vous ne le détruirez jamais tandis que lui vous détruira.

A la suite de mes aveux, Bruno m'avait écrit une longue lettre où il m'assurait de son amour et me conseillait d'aller voir un psychiatre. Chaque fois qu'il revenait en permission, il me demandait si j'avais pris rendez-vous. Je n'avais pas pris rendez-vous. Je n'étais pas malade.

Il n'exigeait rien de moi. Il n'essayait pas de me prendre. Parfois je commençais de l'embrasser doucement et j'étais pleine d'espoir. Je sentais vraiment ses lèvres contre les miennes. Je me disais que nous étions un homme et une femme prêts à s'aimer dans la tendresse et l'union de leur chair. Et soudain, ça venait. Ma peau se fermait. Elle se retournait vers l'autre. Elle l'attendait. Je ne voyais plus Bruno. Je n'entendais ni son souffle ni ce qu'il me murmurait, mais ce cri, ce cri fulgurant qui m'aspirait en lui-même. Bruno disait que c'était moi qui le poussais. A tête reposée, je me jurais que la prochaine fois je me concentrerais de toutes mes forces pour ne jamais lâcher Bruno du regard, que je croiserais mes bras et mes jambes comme un étau dans son dos. Je ne trouvais jamais cette volonté. Bizarrement, Bruno ne m'aidait pas. Il acceptait que je le repousse. Pourquoi n'a-t-il pas lutté au moins une fois pour me clouer à lui ? Pourquoi ne m'a-t-il pas sommée de choisir entre lui et le chasseur ? Pendant que je sombrais dans le sommeil, je l'entendais vaguement se lever, se mettre à son bureau. Je ne savais pas qu'il y trouvait son compte.

Le service militaire touchait à sa fin. Je
redoutais le retour à la vie commune. Pourtant il se fit sans heurt. Bruno, privé pendant
dix-huit mois, s'enferma dans son travail et,
ce qui me surprit, différa son voyage à Milan.
Il loua un studio d'enregistrement dont il ne
rentrait que fort tard. En général je dormais
déjà. Aux boules Quies, j'avais ajouté les somnifères. Nous ne nous touchions plus. Nous
eûmes un seul sujet de dispute : le psychiatre.
On lui en avait recommandé un paraît-il
remarquable, qui recevait à l'hôpital de la
Salpêtrière. « Fais-le pour moi, disait-il, pour
prouver que tu me fais confiance. » Je ne
pouvais pas. Il finit par me lancer que je
refusais de guérir et abandonna le sujet. Quelque temps plus tard il revint à la charge,
m'annonçant qu'il avait pris rendez-vous
pour moi avec un neurologue. « Je n'irai pas,
lui répondis-je, c'est parce que je t'aime que
je t'ai parlé du chasseur, je n'en parlerai à
personne d'autre. » Il répliqua que je pouvais

126

me contenter de mentionner des bruits et que, si je voulais, il viendrait avec moi et parlerait à ma place. J'acceptai. Le neurologue supposa une altération de mes lobes temporaux et me fit faire un électro-encéphalogramme qui prouva le contraire. Mes lobes étaient intacts. Il me donna un médicament à prendre tous les matins, un autre en cas de crise. Je sortis de ces consultations en proie à une indicible tristesse. A la mine dont m'avait considérée le médecin, je comprenais que Bruno était allé le voir auparavant et je savais maintenant de façon certaine qu'il ne croyait pas à l'existence du chasseur mais me supposait folle. Sur le chemin du retour, il me raconta que Chostakovitch avait reçu un éclat d'obus dans la tête pendant la guerre et que depuis, lorsqu'il penchait la tête d'une certaine façon, il entendait une mélodie. Cela me fit tout de même rire. Nous nous arrêtâmes dans une pharmacie. Il acheta les médicaments et, chaque matin, je trouvais sur la table la petite pilule rose que je devais ingurgiter. Je dois dire qu'elle fit un certain effet, comme si elle avait enveloppé le chasseur d'étoupe.

A part ces attentions médicales, Bruno était tellement absorbé dans son travail qu'il me négligeait. Moi, je n'arrivais pas à m'intéresser à mon doctorat. J'étais habituée à Tsurukawa. Je m'ennuyais. Un jour, pour retrouver le bonheur de nos premières rencontres, je voulus organiser un dîner avec nos anciens camarades. Lorsque Bruno rentra, ils étaient tous là. Il eut l'air de tomber de la lune. Un instant contrarié, il prit sur lui de faire bonne figure. J'avais acheté beaucoup de vin blanc. Au bout de deux ou trois verres, il s'excita. Ses yeux se mirent à briller et il révéla qu'il était sur le point d'achever une œuvre pour lui capitale, sur laquelle il avait longtemps peiné et qu'il croyait maintenant tout à fait réussie. Jamais il ne m'en avait parlé. Quand je lui posais des questions, il répondait invariablement : « J'avance, j'avance », d'un ton plutôt impatient, si bien que je croyais commettre une indiscrétion. Sans en rien savoir, je comprenais les affres de la création et je les respectais. Mais je ne pus m'empêcher d'avoir un pincement au cœur : si je n'avais pas invité nos anciens amis, m'aurait-il fait partager la joie qu'il leur manifestait ? Sa chevelure avait maintenant complètement repoussé. Il était beau. Dans la fumée des cigarettes, dans les vapeurs de l'alcool sûrement contre-indiqué avec ma pilule rose, je le voyais faire d'amples gestes. Il me semblait démesurément grand. J'aurais voulu qu'il regarde dans ma direction, mais ses yeux balayaient l'assemblée sans voir personne. Quand le dernier convive fut parti, je ne pus me lever de mon fauteuil. Bruno me porta jusqu'au lit et s'abattit sur moi. Peut-être à cause de la pilule, le chasseur se tut. Je n'eus pas de plaisir. Mais je ressentis un bonheur immense, celui d'être écrasée par le corps de cet homme qui jouissait enfin en moi et dont mon âme n'arrivait plus à sentir le poids.

C'est à nouveau l'été. Bruno a fermé les fenêtres bien qu'il fasse chaud et il m'a assise sur le canapé. Il a sorti une bande magnétique de son cartable et l'installe lentement sur le Revox, avec une maladresse qui trahit son émotion. Il appuie sur le bouton et plonge la tête dans ses mains. J'entends un imperceptible bourdonnement qui me semble d'abord le ronflement du Revox lui-même. Puis je reste pétrifiée. C'est lui. C'est le chasseur. Il est dans le fond du ciel. Il se rapproche. Je ne veux pas. Je me précipite pour arrêter l'appareil. Bruno me saisit le poignet. Il m'immobilise. L'hélice hache l'espace. J'entends tout. Il n'a rien omis. L'accélération vertigineuse du moteur, l'explosion de la carlingue, les colonnes d'eau s'écrasant sur le pont du bateau. Mais il a ajouté quelque chose de son invention : au beau milieu d'un froissement de tôles s'élève une voix de femme. Elle clame une interminable note suraiguë, à donner la chair de poule. Puis elle hoquette, rebondit, érafle les octaves, s'apaise, repart, râle, et quand enfin elle se tait, survient un lent et paisible clapot. Je suis paralysée. Je l'entends à peine dire : « *Rondo pour*

130

voix de femme et avion. C'est pour toi. » Je le regarde sans comprendre. Je le déteste.

Je suffoquai. « Jette ça, jette ça immédiatement ! – Pas question. Ses doigts me meurtrissaient le bras. – Rien n'existe, Laura, rien n'existe que ça, ce petit morceau de bande magnétique. Les murs ne se sont pas effondrés. Ton corps n'a pas explosé en mille morceaux. Réveille-toi, Laura, réveille-toi. » Et il répétait son ordre en me secouant comme un chiffon. Non content de m'insulter, il voulut m'embrasser. Je me dégageai brutalement et le giflai à toute volée. Cela me fit mal. Nous restâmes un instant stupides l'un et l'autre. Puis il eut un petit rire gêné, rangea soigneusement sa bande et sortit sans un mot. Il revint tard dans la nuit et comme j'étais étendue sur le lit, les yeux ouverts, trop bouleversée pour trouver le sommeil : « Nous devrions boire du champagne, dit-il, le Groupe de recherches musicales trouve le *Rondo* magnifique, ils m'ont accepté parmi eux. »

Nono fut également informé. Il adressa ses

félicitations. La création publique eut lieu dans l'auditorium de l'O.R.T.F. Je refusai de m'y rendre. J'étais volée, dépouillée, jetée en pâture aux oreilles des autres. Nos anciens amis téléphonaient pour manifester leur joie. Beau sujet de réjouissance ! Sans doute Bruno avait-il attendu que je crie pour se dépêcher de retranscrire les fréquences de ma voix. Peut-être même avait-il mis un magnéto-phone sous le lit ? Il m'avait tant parlé de la matérialité du son. Nono organisa un concert exceptionnel à Milan. Bruno dit que je n'étais pas obligée d'y assister, que je pouvais faire ce que je voulais. Je supputai que je n'étais pas désirée et, pour l'ennuyer, rétorquai que je serais là.

Dans le train, nous étions trois, la soprano, Bruno et moi. Elle tenait ses jambes serrées l'une contre l'autre dans sa jupe droite. Le soleil cognait ses yeux, éclaboussait sa peau laiteuse. Elle ne parlait pas, sans doute pour économiser sa voix. Bruno s'agitait, faisait les cent pas dans le couloir, revenait s'asseoir. Alors elle ouvrait ses lèvres de marbre et lais-

sait tomber un « calmez-vous, Bruno, tout va
bien se passer » d'un ton si mélodieux qu'on
aurait déjà dit un chant. Elle était étrangère,
polonaise, ou peut-être russe. Ils s'enfermè-
rent pour répéter toute la journée du lendemain. J'arrivai au dernier moment pendant
que le noir se faisait dans la salle.

Sur un grand plateau vide, un projecteur
l'isola. Sa chevelure étincela. Bruno, assis à
sa gauche, manipulait les boutons d'un
énorme magnétophone. J'avais mis mes boules Quies mais je n'étais pas aveugle. Je vis
très bien le visage crispé de Bruno se déten-
dre, se lisser, se recueillir dans la concentration, se pencher légèrement sur le côté
comme pour mieux suivre encore le chemi-
nement de la bande magnétique dans les
mâchoires d'acier. Je vis très bien qu'il leva
ce visage vers elle, qui n'avait pas frémi d'un
cil depuis le début, gardant les yeux clos, et
qu'alors, comme répondant à un signal, elle
les ouvrit, se tourna vers lui. Je vis très bien
leur regard s'unir, se recouvrir, se fondre l'un
dans l'autre, l'espace d'une demi-seconde à

peine. Tandis qu'il restait fixé sur elle, elle pivota vers le public. Ses seins se soulevèrent. Sa robe de soie ondula. Elle ouvrit la bouche. Son visage se déforma. Je fermai les yeux pour me protéger de la répugnante vision qu'elle allait offrir sans pudeur aux spectateurs. Quand je relevai les paupières, la salle applaudissait debout. Ils souriaient tous deux, elle du bout des lèvres, pas plus défaite que si elle avait interprété une bleuette. Je remarquai soudain leurs mains. Ils saluaient le public, paume contre paume, leur moiteur confondue, et le sang leur battait doigt contre doigt.

Pendant le cocktail qui suivit, Bruno rayonnait. Des hommes plus âgés glosaient sur sa technique d'interaction rythmique, sur ses vibrations dynamiques. Il répondait avec volubilité. Il présenta la soprano à Nono en vantant son talent. Il avait posé sa main sur son épaule. Mes yeux se fixèrent à nouveau sur cette main. J'éprouvai soudain une nostalgie poignante de sa chaleur. Il me semblait que si elle me touchait, maintenant, à l'instant même, au lieu de s'appuyer sur la soprano, je la sentirais jusqu'au plus profond de moi et que nous recommencerions à nous aimer comme au premier été. Mais la main ne bougeait pas. Je me souvenais de tous ces soirs où Bruno était rentré si tard. Je l'imaginais travaillant avec cette femme dans la lumière des studios déserts. Mon verre trembla. Le champagne coula sur ma robe. Ma vie chancelait. Je décidai de me retirer.

La soprano ne rentra pas avec nous. Elle passait une audition à la Scala. Nous étions seuls dans le compartiment. Bruno gardait les yeux fermés et savourait son bonheur. Assise en face de lui, je sentais la distance se creuser entre nous aussi sûrement que le train s'éloignait de Milan. Pourquoi m'avait-il proposé de venir ? Pour que j'assiste à son triomphe ? S'il n'ouvre pas les yeux, je descendrai à la prochaine gare et je disparaîtrai ainsi de sa vie. Le train s'enfonçait dans les Alpes. Au sortir d'un tunnel, je le retrouvai les yeux fixés sur moi. Il se pencha en avant, posa sa main sur mon genou et rompit le silence qui pesait sur nous depuis le départ. « Le *Rondo*, c'est ma façon de te dire je t'aime. Je ne suis pas une sangsue, je ne t'ai pas sucé le sang. Je n'ai aucun droit sur ce que tu penses ou ressens. Et je te demande de me pardonner si ma prétention t'a blessée. Je sais bien qu'il y a quelque chose en dehors de ma bande magnétique. Quoi... je ne peux pas le dire, mais il y a quelque chose et tu es seule à le connaître. Le *Rondo*, c'est ma meilleure composition. Parce que j'ai eu une stimulation extrêmement forte, extrêmement vraie : me rapprocher de l'inconnu qui t'habite. Elle a porté mon savoir, mon expérience, elle m'a permis des audaces que tu ne soupçonnes pas. Maintenant écoute-moi bien. J'ai mis au point avec Nono les modalités de mon séjour à Milan. Je souhaite que tu viennes avec moi. Le veux-tu ? »

Pendant qu'il parlait, j'avais vu revenir l'expression douloureuse des lèvres autour des mots qui se bousculaient. J'étais sommée de répondre, agacée parce qu'il se donnait le beau rôle. Notre vie commune n'avait plus rien qui justifiât de la prolonger. Est-ce qu'il ne le voyait pas ? Voulait-il en plus me faire supporter la responsabilité de la séparation ? Je biaisai ma réponse : « Tu me trompes avec la soprano. – Je travaille avec elle », répondit-il tellement vite que je fus persuadée qu'il s'attendait à ma remarque et que j'avais touché juste. « Je suis sûre que tu me trompes, ça se voit. » Il retira sa main de mon genou. C'était mesquin de jeter cette pauvre Polonaise entre nous, j'en avais conscience, mais je m'y accrochais comme à un radeau dans un naufrage. « Réponds. Est-ce que tu m'accompagnes ? – Tu nous veux toutes les deux, c'est ça ? – Laura !... » Les lèvres s'étaient crispées, il était presque laid. « Je ne veux pas de cette situation, je ne viendrai pas. – Dans ce cas, n'en parlons plus. » Il ferma les yeux et se tut.

Mon Dieu, faites qu'il parle encore, faites qu'il parle encore pour que je puisse revenir sur mes paroles. Mais il se tut. Il se tut jusqu'à la gare de Lyon, jusqu'au quai de Jemmapes, jusqu'à son départ.

Je le regardais entrer et sortir de l'appartement sans un geste vers moi. Une force le soulevait qui m'entraînait vers le fond. Il prenait des leçons d'italien, réglait la succession de ses cours, achetait des ouvrages de linguistique et de phonologie. Moi je ne faisais rien. Je n'avais plus le courage de travailler mon doctorat. Je restais allongée sur le lit des heures durant comme si c'était toujours la nuit et, malgré cela, je me sentais très fatiguée. Tsurukawa aussi paraissait fatigué. Il ronronnait en douceur autour de moi, m'enveloppait, m'isolait. Je me berçais dans son bruit.

Et puis le jour arriva. Bruno ouvrit les placards, installa une valise neuve au milieu de la chambre et commença à la remplir. Je reconnaissais chaque pantalon, chaque chemise. Je savais auxquelles il manquait des boutons et où se cachaient les petites auréoles impossibles à détacher. Je voyais ses chers

habits entassés sans soin, sans ménagement.
Il aurait au moins pu me les laisser ! Mais il
préféra m'encombrer de son Revox. Je sup-
pose qu'il avait mieux à Milan. Il remplit un
sac avec des livres et des partitions puis je
l'entendis faire un tour de l'appartement et
appeler un taxi. Est-ce qu'il allait revenir dans
la chambre ? J'étais sûre que non. C'était à
moi de me lever. Je rentrai dans le salon en
faisant exprès de heurter une chaise. Il sur-
veillait la rue de la fenêtre. Il ne se retourna
pas, ne bougea pas. Et quand le taxi arriva,
il prit ses bagages et sortit sans un regard vers
moi.

A mon tour, j'allai à la fenêtre. La voiture
attendait en double file. Je vis sortir Bruno.
Peut-être qu'il lèverait la tête. Je devrais me
pencher par la fenêtre pour qu'il me voie le
regarder. Le chauffeur ouvrit le coffre. La
valise disparut. Bruno disparut. Le taxi disparut.

Je restai à contempler les reflets des lam-
padaires dans l'eau du canal, sans bouger,
longtemps sans bouger. Je n'avais aucune rai-

son de faire un pas à droite plutôt qu'à gauche. J'étais morte. Je portai machinalement la main à mes oreilles pour en ôter les boules Quies mais je ne les avais pas. Tsurukawa aussi m'abandonnait. Je me couchai à plat ventre sur le lit, du côté de Bruno. J'enfonçai mon visage dans son oreiller. J'aurais voulu m'étouffer.

Je fis un rêve : la soprano, Bruno et Nono étaient attablés dans un wagon-restaurant devant un plat d'asperges. La soprano était vêtue d'une tunique grecque transparente sous laquelle pointaient ses seins nus, Bruno portait un smoking et une chemise à col cassé ; quant à Nono, il était déguisé en évêque (à Milan, j'avais remarqué qu'il portait des chaussettes violettes). Bruno embrassait la soprano de façon obscène tandis que Nono les bénissait avec une asperge.

Je fis d'autres rêves, beaucoup d'autres rêves, tout aussi grotesques, tout aussi laids. Souvent c'était Tsurukawa. Il avait laissé son chasseur. Il se promenait avec un fusil et tirait sur des têtes qui explosaient dans des gerbes

de sang. Je sortais à peine de l'appartement.
J'allais jusqu'au Prisunic, je revenais. Je
n'étais même plus sûre de savoir compter.
J'eus seulement la présence d'esprit de retourner voir le neurologue quand je n'eus plus de
pilules. Et j'eus beaucoup de mal à les obtenir
sans recommencer des examens.

Quand je ne dormais pas, je pensais lon-
guement à la soprano. Elle était belle, elle
savait aimer. Je les imaginais tous les deux
dans un joli appartement de Milan, elle sou-
veraine avec ses gestes mesurés, aplanissant
les obstacles autour de Bruno. Pourquoi ne
l'avait-il jamais amenée quai de Jemmapes ?
Moi aussi je l'aurais aimée. Nous aurions pu
vivre tous les trois ensemble. Bruno aurait
écrit pour elle. Ils auraient vécu dans l'effervescence, dans la lumière des projecteurs. Ils
auraient parlé musique jusqu'au petit matin,
ils auraient dormi enlacés dans la chambre
tandis que moi j'aurais veillé sur eux depuis
le canapé du salon. Oui, ça aurait pu être une
vie agréable.

Maman me téléphona pour me souhaiter

un joyeux Noël. Dehors il y avait des sapins, du foie gras et des clochards. Chez moi des boîtes de conserve et des draps sales parce que je mangeais au lit. Grand-mère se plaignait de ce que je ne vienne plus la voir. Bruno, lui, m'écrivit. Je mis une journée entière à ouvrir la lettre. Il disait qu'il aurait voulu ne pas m'écrire et que cela lui avait été impossible. Il espérait que mon doctorat avançait et quant à lui, il travaillait beaucoup. Il demandait que je réponde. Je me rendormis.

Je dormais tellement que je n'avais plus faim. J'avais moins souvent à faire les courses, à me traîner jusqu'au Prisunic en m'arrêtant tous les dix mètres pour poser mon panier. Je me rendais compte que j'étais en mauvais état ; cependant je n'avais pas perdu la notion du temps. Je savais que la fin du mois de janvier approchait et que Bruno allait rentrer.

Il ne prévint pas. J'entendis sonner puis la clé tourna dans la serrure. Je remarquai tout de suite qu'il était sans bagage. Il ouvrit grand les fenêtres et la lumière rentra à flots. En me découvrant, il poussa un cri, demanda si j'étais malade. Je lui souris, je dis que non. Il n'osa pas répondre que j'avais une mine de cadavre. Je pouvais lire sur son visage la détresse qu'il avait à me retrouver. C'était normal. La soprano étincelait tandis que je l'accablais. J'entendais ses pensées : c'est impossible, je ne peux plus, je ne peux plus vivre ici, avec elle. Il fit deux-trois pas dans l'appartement, s'arrêta devant le Revox. Puis il plongea. « J'ai loué un appartement dans le Marais. » Il s'assit sur le lit. J'éprouvai instantanément un immense soulagement comme si l'un et l'autre nous acceptions enfin notre défaite. Ma voix ne trembla pas. Elle eut une douceur que je ne lui connaissais pas quand je lui répondis qu'il avait raison. Je lui demandai si la soprano s'installait avec lui. Il agita la tête en signe d'acquiescement et je compris que je l'avais attendu trois mois pour l'entendre me dire cela. Non pas tant qu'il s'installait avec elle, mais qu'il me quittait. Je m'étais arrêtée de vivre parce que ni Bruno ni moi n'avions été capables d'affronter notre séparation. Et c'était lui à présent qui me rendait à moi-même, qui me permettait de me retrouver. D'une voix déjà plus assurée, je lui demandai de fermer la fenêtre parce que j'avais froid. Il dit que je devais aller voir un médecin, je dis que oui, j'irais. Il dit qu'il repasserait prendre le Revox et que, s'il pouvait m'aider, il le ferait. Je lui souris, me levai pour le raccompagner. Quand j'eus fermé la porte, je me fis couler un bain, m'habillai de propre, changeai les draps de mon lit et descendis prendre un bouillon de poule dans un petit restaurant tunisien. J'étais libre. Rien ne s'opposait plus à l'accomplissement de mon destin.

Mon premier acte de convalescence fut de retourner aux cours de M. Bertin. Comme par un fait exprès, débordant du programme, il traitait de la tradition du suicide au Japon pour replacer dans une perspective historique ce qu'il appelait lui-même, d'un mot curieusement religieux dans sa bouche, le « sacrifice » des kamikazes. Il s'étendit sur la signification du mot : typhon divin. Je connaissais l'histoire : au XIIIᵉ siècle, un typhon providentiel avait permis de repousser une attaque mongole. Mais les dieux, depuis, avaient abandonné leur pouvoir à la toute-puissante, à l'olympienne économie. Aussi n'était-il pas étonnant que les kamikazes se soient écrasés comme des mouches sur l'armada de MacArthur, deux cents navires et mille sept cents avions aéroportés. Ils n'avaient été l'instrument d'aucune vengeance, d'aucune justice. En mourant ils avaient laissé le ciel aussi vide qu'ils l'avaient trouvé en y pénétrant. Le micro grésilla. M. Bertin tapa dessus, tourna un bouton, sans améliorer la situation. Il continua tant bien que mal : « Le bruit de leur sacrifice résonnera longtemps dans l'esprit des hommes. Les grognards de Napoléon, les *marines* américains, tous les soldats du monde ont un double but : servir leur cause et sauver leur peau. Eux s'envolent vers une mort certaine. Quand la capitulation de l'armée fut signée, le vice-amiral Ugaki

décolla de la base de Kyushu avec une ving-
taine de pilotes et, plutôt que de se rendre,
ils disparurent dans la nuit. » A ces mots,
M. Bertin dut interrompre son cours. Les
grésillements du micro recouvraient totalement sa voix. Je n'avais aucun doute sur leur
origine. En attendant l'arrivée d'un techni-
cien, je me retournai vers mon voisin : « Tu
ne les trouves pas admirables, ces kamikazes ?
– Je trouve ça monstrueux, si tu veux savoir.
– Moi je les aime, j'aurais fait comme
Ugaki. » Devant son regard ahuri, je sentis
combien j'étais étrangère au monde qui
m'entourait. Heureusement j'avais un frère,
un frère exceptionnel, qui m'attendait, et qui
s'appelait Tsurukawa. Ma vie devait couler
vers lui comme un ruisseau rejoint la rivière.

Rentrée à la maison, je jetai mes plaquettes
de pilules roses et mes boîtes de boules Quies.
Il ne fallait plus me protéger.

J'essayais de coucher avec des garçons pour
qu'ils me poussent vers Tsurukawa. Hélas, ils
manquaient de savoir-faire. Je tombais dans
une exaspération nerveuse et j'avais envie de

les rouer de coups. Je les laissais au milieu de
la nuit. Je rentrais à pied chez moi, même s'il
me fallait traverser Paris. Alors le visage de
ma mère dégoulinant de pluie sur le boulevard Malesherbes me taraudait. Toi aussi,
maman, toi aussi, pensais-je, il t'aimait. Je
cessai vite mes expériences masculines. Elles
ne présentaient pas d'intérêt.

Pourquoi aurais-je poursuivi mon doctorat ? Tsurukawa avait-il besoin d'un docteur
ès mathématiques ? Je préférai occuper mon
temps à apprendre le japonais. J'achetai une
méthode Assimil, des pinceaux, de l'encre de
Chine et du beau papier de soie. Je m'exerçai
avec fureur. Je restais des journées entières à
alterner mes essais calligraphiques et mes
bégaiements. Je m'entraînais sur le nom de
Tsurukawa et j'affichais au mur les exemplai-
res les plus réussis.

Je sollicitai auprès de l'Education nationale
un poste d'enseignante. Je ne le désirais aucu-
nement mais je voulais me libérer d'un sentiment de redevance envers un beau-père qui
se permettait de plus en plus souvent de

s'inquiéter de moi. Il ne comprenait pas que
je ne vienne pas les voir. Maman non plus,
paraît-il. Pour m'inciter à voyager, il m'offrit
mon permis de conduire et une voiture.
J'acceptai ce que je voulais être un dernier
cadeau.

J'appris très vite. J'étais douée. J'aimais être
au volant. J'avais choisi une Renault 4 blanche. Souvent je partais rouler n'importe où,
pour la seule jouissance d'enfoncer le pied sur
l'accélérateur et d'avaler les kilomètres. Bientôt ce fut une passion. Je prenais les autoroutes
pour quitter Paris. Dès que j'étais à la campagne, je partais au hasard. Je m'arrêtais peu. Je
roulais, je roulais. Tsurukawa aussi aimait cela.
Maintenant que je lui étais tout offerte, il des-
cendait sur moi. Nos carlingues se fondaient
en un seul habitacle. Nous vrombissions ensemble, nous progressions ensemble. En une
année, nous connûmes toute la grande ceinture de Paris jusqu'à Rouen, Amiens, jusqu'à
Chartres, Orléans, Montargis, Troyes. Notre

puissance me grisait, mais aussi l'imminence du choc toujours possible, de l'éclatement, de la chute. Nous étions en route vers elle. Elle miroitait devant nous comme une fascination qui s'éloignait au fur et à mesure que nous l'approchions. De temps en temps, je mettais de la musique. Nous atteignions alors un degré supérieur de sensation, une surhumanité. La voiture chantait avec le récitant de *La Passion selon saint Jean*, cascadait avec les notes répétées de l'*Opus 100*. C'était comme si nous oubliions la mort au bout du chemin, Tsurukawa et moi, pour devenir déjà des anges, comme si nous avions sauté l'étape de la bombe, de l'horreur, et nous étions rejoints dans une tourbillonnante félicité. Je rentrais tard dans la nuit. En arrivant, je faisais un détour pour passer la voiture sous les brosses d'un lavage automatique. Moi aussi je prenais un bain. Je m'endormais vite, pleine de bien-être.

En janvier 1968, l'Education nationale me trouva un poste de remplaçante à Levallois-

Perret. Je n'avais aucune idée de l'enseignement et, quand je me trouvai devant une
trentaine de petites têtes obtuses et dissimu-
latrices, la panique s'empara de moi. Je les
détestai sur-le-champ. Toute mon enfance
me sauta à la gorge, grand-père, grand-mère,
le mutisme de maman et l'horreur de la rue
de la Bienfaisance. Le chasseur bourdonna
comme si nous étions encore au tout début
de notre histoire, avec sa charge inexpliquée
d'angoisse. Il ne voulait pas que j'enseigne,
que je distraie un temps qui aurait dû lui être
entièrement consacré. Je demandai d'ouvrir
la fenêtre. J'avais douze ans et il me fallait
leur tenir tête. Je passai toute l'heure à des
exercices de calcul mental. Quand la cloche
sonna, dans l'abrutissement qui suivit, je réa-
lisais que j'avais tenu le rôle de mon grand-
père. Je partis rouler en voiture dans un tel
état que je fus à deux doigts de l'accident.
Les pneus hurlèrent dans un virage. Je vis
grossir un panneau indicateur. Mon capot
s'immobilisa devant lui.

Non, je ne retournerai pas dans l'enfance.

Je ne veux pas de ces visages tout neufs, de ces regards niais, de ces mines chiffonnées de petits singes. Je ne veux pas leur apprendre les mathématiques. Je me fous des mathématiques. Si on me laisse ces enfants, si on ne me les enlève pas, je leur parlerai de Tsurukawa. J'inventerai sa jeunesse pour eux, dans une maison de papier non loin de Kobe. Chaque jour, je leur raconterai comment il apprit à piloter, comment il s'inscrivit le cœur serré sur les listes des volontaires pour la mort, comment il composa un petit poème au dernier soir après avoir coupé une mèche de ses cheveux qu'il mit dans une enveloppe à l'intention de sa fiancée et de sa mère, comment il récita la prière à son empereur dieu et but le saké avec son commandant, comment il s'éleva dans l'obscurité de la nuit seul dans son chasseur Zéro, son avion qu'il aimait, son cher avion qui l'emmenait mourir, comment il vit le soleil se lever sur l'océan tendu telle une plaque de tôle, comment il découvrit les cinq points minuscules de l'escadre américaine semblant dormir non loin des côtes d'Okinawa, comment il décida malgré l'étincelant soleil de piquer depuis le haut du ciel, comment les tirs antiaériens l'épouvantèrent, lui qui n'avait jamais encore essuyé le feu de la guerre, comment il pensa tout à coup à sa petite sœur et à un château de sable qu'ils avaient bâti ensemble sur la plage de Kobe, comment il se jeta les yeux ouverts sur le pont du *Maryland* et devint ainsi un héros, un être immortel, parce qu'il n'avait pas fermé les yeux en voyant la mort. Je leur raconterai que, chaque matin, il se met en route depuis l'Empire du Soleil-Levant et qu'un jour il viendra les trouver, et qu'un jour ils l'entendront. Ce n'est pas un conte comme ceux que vous racontent vos grand-mères, c'est la vérité vraie. Et quand vous l'aurez entendu, cela voudra dire qu'il vous a repérés sur la carte des vivants et que bientôt vous serez morts. Voilà ce que je dirai si on me les laisse un jour de plus. Et tous me croiront. Et tous tomberont malades. Et les parents viendront se plaindre. On ne comprendra pas pourquoi toute ma classe est malade. Un jour un enfant racontera la vérité et les parents horrifiés me chasseront mais il sera trop tard. Les enfants auront tous entendu Tsurukawa. Le panneau indiquait Château-Thierry à dix kilomètres. J'allai y coucher.

Je fis mon remplacement jusqu'au bout. Je me contentai, comme si à peine arrivée j'étais déjà écrasée par la lourdeur de l'institution, de faire allusion au chasseur dans l'énoncé des problèmes que je leur dictais. Les élèves calculèrent sa vitesse moyenne depuis son décollage jusqu'à l'archipel d'Okinawa. Ils évaluèrent l'angle qui lui permettait de piquer vers la mort : étant donné un chasseur Zéro situé au point x avançant à la vitesse de quatre cents kilomètres-heure, et un porte-avions situé au point y se déplaçant à trente nœuds, étant donné que le chasseur Zéro vole à trois mille mètres au-dessus du niveau de la mer, calculez l'angle de piqué nécessaire au chasseur pour percuter le navire. Deux trouvèrent la réponse. Ils m'assurèrent que leur père ne les avait pas aidés, d'où je

conclus que ce devait être Tsurukawa. Je
n'avais peut-être pas perdu mon temps. Pour
le reste, je me pliai servilement au programme. L'inspecteur me donna une mauvaise note. Il avait remarqué que je n'avais
aucun sens pédagogique. Et mon expérience
de l'enseignement s'arrêta là. Les événements
de 68 éclatèrent quelques jours après.

Tous les cours étaient suspendus. M. Bertin tenait des meetings dans son amphithéâtre et marchait à la tête de ses étudiants dans
les manifestations. Il ne réussit pas à m'entraîner. J'allais en spectatrice contempler les
voitures incendiées, les vitrines brisées.
C'était la destruction qui m'attirait, non les
idéaux pour qui volaient les pavés. En revan-
che, le rationnement d'essence me contraria
fortement. On disait que le pays allait être
paralysé et faire la chasse aux bidons devint
ma principale préoccupation. Je quittai Paris
sans être sûre de pouvoir y revenir. L'aviation
japonaise aussi avait manqué d'essence. On
avait sévèrement rationné à Tsurukawa ses

heures d'apprentissage. Même l'Histoire se faisait notre complice.

Durant ce mois de mai, grand-mère s'éteignit sans bruit, dans son sommeil. La messe d'enterrement eut lieu à la paroisse de la rue de la Bienfaisance. Quand j'entendis l'orgue éclater dans mon dos, j'attendis qu'elle ouvre mon missel à la bonne page et me le donne. Mais ma mère, debout à mon côté, n'avait pas de missel. Son mari la tenait par la main. Je me souvins de toutes les prières que j'avais dites pour elle et qui finalement se trouvaient exaucées. Elle sentait le chèvrefeuille, ne manifestait pas d'émotion. Cependant, au cimetière, quand on ouvrit la tombe pour poser le cercueil de sa mère sur celui de son père, elle s'évanouit. Je le réalisai à peine car je venais, devant cette tombe ouverte, d'être frappée comme par une gifle d'une vérité qui ne m'avait jamais effleurée : mon père, lui, n'avait pas de cercueil. Il était normal que Tsurukawa n'en eût pas puisqu'il vivait toujours, mais mon père, où était-il ? Au fond de l'eau, bien sûr. Que j'étais bête ! Il était au fond de l'eau. Et son cadavre déjà devait être rongé par le sel. Pourquoi m'inquiéter ? Je retrouvai ma respiration, pris le goupillon et fis le signe de croix qu'on me demandait.

Mon beau-père nous emmena dîner dans un restaurant vietnamien dont il avait connu les patrons en Indochine. Il me posa beaucoup de questions. Je dus lui avouer mon expérience ratée d'enseignement, mon doctorat abandonné. « Mais qu'est-ce que tu fais alors, me dit-il, qu'est-ce que tu fais de tes journées ? » Que pouvais-je répondre ? Rien ? Je souris de façon énigmatique et inventai sur-le-champ l'existence d'un ami. « Il me semblait bien aussi que tu étais très en beauté, s'exclama-t-il. Pourquoi ne l'as-tu pas amené ? » Maman me regardait avec attention. Elle était tout entière tournée vers moi, ce qui ne s'était jamais produit en vingt-cinq ans d'existence. Je me troublai. Il s'excusa de son indiscrétion et commanda du champagne en disant qu'ils auraient bien le temps de faire connaissance. Vraiment, il était gentil. Au dessert, il dit qu'il avait une idée pour moi, que je devrais apprendre l'informatique, science pleine d'avenir, encore peu connue en France mais déjà très utilisée aux Etats-Unis. Si je voulais, il demanderait à la CII-Honeywell Bull de m'offrir une formation. Maman me regardait toujours. On aurait dit qu'elle ne pouvait pas détacher ses yeux de moi, des yeux pleins d'interrogation. J'avais du mal à dissimuler mon émotion. Je les raccompagnai à pied jusqu'à leur hôtel, je n'avais pas envie de les quitter. Mais, sur le pas de la porte, maman me caressa la joue du revers de la main et je m'enfuis pour qu'ils ne me voient pas pleurer. Je ne pus les voir le lendemain. Ils redescendaient dans le Midi en profitant de la voiture du préfet maritime, les cadres supérieurs de l'armée n'étant pas soumis au même rationnement que le commun des mortels.

Moi qui étais privée d'essence, je restais dans mon appartement et faisais de rapides progrès en japonais. Je pouvais maintenant écrire de petites lettres à Tsurukawa. J'en tapissais mes murs. Quand mon attention faiblissait, j'allumais la radio et je suivais le cours des événements. J'essayais tant bien que mal d'en traduire un résumé pour Tsuru- kawa. Je dormais peu car avec les pilules roses j'avais jeté mes somnifères. Une nuit, comme ma station habituelle diffusait pour la troi- sième fois le même reportage sur Billancourt, je tournai le bouton à la recherche d'un autre programme et tombai sur une émission consacrée aux jeunes talents de la musique contemporaine, c'est-à-dire à Bruno. Nous ne nous étions jamais revus. Le speaker annonça le *Rondo*. Je ne fermai pas le poste. Au contraire, je montai le son puis me laissai tomber dans le canapé. Ce fut un choc.

Quand le clapot final apparut, dans la lan- cinance d'une répétition où s'introduisait chaque fois davantage de silence – je n'avais entendu qu'une seule fois le *Rondo* et je me souvenais parfaitement de sa composition –, je souhaitai que jamais il ne s'éteigne. J'entendais le bercement de la mort. Oui, c'était le bercement de la mort, le calme des eaux après que le corps a sombré et qu'aucun frisson n'en trouble plus la surface. Et c'était un repos, et c'était une consolation que je sentais pleine et douce et que je désirais de toute mon âme. Des applaudissements jaillirent. J'allais fermer le poste quand quelqu'un annonça qu'il s'agissait de la retransmission d'un concert donné à Milan en septembre 1966.

Je pris mon téléphone et appelai Bruno. C'est elle qui répondit d'une voix ensommeillée. Bruno travaillait encore. Il était dans la chambre de bonne qu'il avait transformée en studio. Elle allait lui passer la communication. J'attendis un instant qui me parut un siècle. Je transpirais. Enfin ce fut lui. Je demandai si je pouvais venir le voir. Il répondit qu'il m'attendait.

Rue Tiquetonne, un petit escalier de guingois. Il est deux heures du matin. J'ai fait la route à pied. J'ai marché vite. Mon cœur cogne sur chaque marche des six étages. La porte est entrouverte. Il est plongé dans une

partition. Une Thermos est posée sur la table.
Il se lève. Je ne me souvenais pas qu'il était
si blond, si grand, si différent de Tsurukawa.
Son regard m'interroge avec bienveillance. Je
dis que je viens d'entendre le *Rondo* sur mon
poste de radio et que je suis bouleversée. Il
sourit, me fait asseoir, m'offre une tasse de
thé – il avait déjà l'habitude de travailler en
buvant du thé –, trouve que j'ai bonne mine.
Oui, c'est vrai, je ne mets plus de boules
Quies, je suis guérie et j'ajoute : « Une dernière fois, avant de partir, je voudrais que tu
me prennes. – Où t'en vas-tu ? – Non, je me
suis mal exprimée, une dernière fois avant de
ne plus jamais te revoir. » Alors, simplement,
il le fait. Et sous ses caresses, c'est comme si
grand-mère, grand-père, maman, Nathalie
venaient frapper à la porte de mon cœur, et
c'est comme si Tsurukawa me souriait déjà.

Nous avons bavardé jusqu'à l'aube. Il voulait savoir où en était mon doctorat. Je lui
dis que je l'avais laissé tomber et que je com-
mencerais bientôt un apprentissage en informatique. A ma grande surprise il savait par-

faitement de quoi il s'agissait et demanda des précisions que je fus incapable de lui donner. Depuis Milan, il était en grande effervescence créatrice. Ce qui pour lui manquait au *Rondo*, c'était un texte, ne serait-ce qu'un ou deux mots qui l'auraient contraint à un travail plus précis sur la voix. Il me parla de la valeur des consonnes, de leur grain, de la dynamique de leur émission. Il avait commencé une série de cantates, chacune consacrée à une consonne. Son visage maintenant ne se crispait plus. Le thé était froid. Je l'écoutais avec admiration. Bruno tiendrait glorieusement son rang dans le monde musical. Je pouvais lui faire confiance. Les oiseaux se mirent à crier. C'était la fin. Il descendit rejoindre Luba – elle était russe.

J'avais astiqué les moindres recoins de mon appartement, lustré la carrosserie de ma voiture avec une peau de chamois et j'attendais. Enfin le général de Gaulle annonça le retour de l'essence. Toutes les cuves seraient pleines

161

pour le week-end de la Pentecôte. Tsurukawa me dit que c'était le moment. J'objectai que nous nous heurterions sûrement à de gros embouteillages mais il jugea que c'était sans importance. Il faisait un soleil éblouissant. Nous roulâmes au pas jusqu'à Cézanne — j'avais choisi l'est, pensant y être plus vite délivrée de la foule. Là, nous obliquâmes vers Vitry-le-François. Le soleil se couchait dans le rétroviseur. J'enfonçai le pied sur l'accélérateur et ne le lâchai plus. C'est le moment, Tsurukawa, c'est le moment. Je me suis si souvent refusée depuis que tu cognes à mes tympans. Aide-moi. Serre-moi dans tes bras. Le blé est encore vert. Nous ne le verrons pas blondir. Je doublais tout ce qui se présentait devant moi. Le soleil rougissait la terre dans mon dos. Avant de piquer sur le navire, le kamikaze crie : « Je plonge. » Moi aussi, Tsurukawa, moi aussi je vais plonger. Je vois grossir le camion, des phares m'aveuglent, je ne fermerai pas les yeux. Tsurukawa maintint fermement mon pied sur l'accélérateur mais mes mains lui échappèrent. Je donnai un coup de volant. Puis ce fut le noir.

Je suis dans une chambre d'hôpital. J'ai déliré pendant quelques jours mais mon état ne provoque pas d'inquiétude. Il paraît que j'ai beaucoup appelé Tsurukawa. On me laisse me reposer. Maman qui est venue toute seule m'a apporté les photos de papa. Pour la première fois je les ai regardées vraiment et j'ai pensé à toute ma vie. Je m'appelle Laura Carlson. Je ne sais pas qui est cet homme qui tient maman par la taille. J'ai posé les photos à côté du journal de Tsurukawa et je les compare. Je ne sais pas qui est mon père, d'Andrew Carlson ou de Tsurukawa Oshi. Ils se tiennent enlacés dans la mort, cramponnés l'un à l'autre au fond du Pacifique. Leur cadavre est identiquement déchiqueté, rongé par le sel. Et moi je suis au milieu d'eux, je suis leur enfant. Je les appelle. Je voudrais les rejoindre. Et je ne suis pas encore morte, je n'arrive pas à mourir.

Demain, je sors. Mon beau-père m'a téléphoné. Il a pris rendez-vous pour moi avec le chef du personnel de la CII. J'irai. Mes affaires sont rangées. Maman va venir. On entend ici un curieux ronronnement. L'infirmière dit qu'il provient du radiateur.

Du même auteur

HISTOIRES DÉRANGÉES – Nouvelles
Éd. Julliard, 1994

Cet ouvrage a été composé par
I.G.S. — Charente Photogravure
à L'Isle-d'Espagnac.
Reproduit et achevé d'imprimer sur Roto-Page
par l'Imprimerie Floch à Mayenne,
pour les Éditions Albin Michel
en novembre 1996.

N° d'édition : 16136. N° d'impression : 40515.
Dépôt légal : novembre 1996.

Imprimé en France